LES SAUCES

Plaisir de faire la Cuisine
Plaisir d'être Gourmand et Gourmet
Plaisir d'accueillir ses Amis
Plaisir de les voir revenir.

8 Septembre 1992
Luzancy.
Saint-Bertrand

Manèty

GRÜND

Adaptation française de Gisèle Pierson

Première édition française 1990 par Librairie Gründ, Paris
© 1990 Librairie Gründ pour l'adaptation française

ISBN : 2-7000-6170-5

Dépôt légal : septembre 1990
Édition originale 1987 par Mejerierna/Atlantis
sous le titre original Såsbok
© 1987 Mejerierna/Atlantis
Photocomposition : Compo 2000, Saint-Lô

AVANT-PROPOS

Le cuisinier qui réussit parfaitement les sauces est souvent considéré comme une sorte de magicien. Faire des sauces ne demande pourtant aucun don exceptionnel, mais plutôt une maîtrise absolue des recettes de base et un peu d'intuition. La créativité est en effet l'indispensable ingrédient d'une bonne sauce. Mais gardez à l'esprit les deux principes de base : la sauce terminée doit toujours révéler les ingrédients qui la composent, et cependant mettre en valeur et accentuer la saveur du plat qu'elle accompagne sans jamais le transformer ou le masquer.

Le propos de ce livre n'est pas de constituer une anthologie des sauces célèbres. C'est pourquoi nous vous proposons ici, plutôt que les recettes très connues que vous pouvez trouver dans n'importe quel livre de cuisine, des sauces originales et savoureuses qui transformeront en mets de choix des aliments simples et bon marché. Elles donneront à vos menus tout l'attrait du raffinement et de la nouveauté.

Si vous êtes néophyte, commencez par les recettes simples, marquées d'une toque.

Les deux toques désignent des sauces plus élaborées qui réclament davantage de temps, mais sont délicieuses.

Les sauces marquées de trois toques demandent un peu plus d'expérience, mais les explications détaillées des recettes vous permettront très vite de les maîtriser.

> NOTE
> 1 cc = 1 cuillère à café = 5 ml
> 1 cs = 1 cuillère à soupe = 15 ml
>
> Les mesures indiquées en cuillères à café et à soupe sont toujours rases.

TABLE

SAUCES POUR LES LÉGUMES — 26

LE BOUILLON, ÂME DES SAUCES — 34

SAUCES POUR LES VIANDES — 35

LES SAUCES, PARURE ET HONNEUR DE LA CUISINE FRANÇAISE — 50

SAUCES POUR LES VOLAILLES ET LES GIBIERS — 51

SAUCES POUR LES POISSONS — 58

HERBES ET ÉPICES, LA NATURE DANS VOTRE CUISINE — 70

SAUCES POUR LES FRUITS DE MER ET LES CRUSTACÉS — 71

SAUCES POUR LES PÂTES 78

LE RÔLE DES PRODUITS LAITIERS — 8

SAUCES DE BASE ET ÉPAISSISSANTS — 9

SAUCES POUR LES SALADES — 14

SAUCES POUR LES DESSERTS — 90

COMMENT RATTRAPER UNE SAUCE — 100

GLOSSAIRE — 101

INDEX — 102

Une casserole ordinaire en aluminium ou en acier inoxydable convient parfaitement à la confection d'une sauce. Mais si elle est en aluminium, n'utilisez pas un fouet en métal, sous peine de décolorer la sauce. Prenez plutôt une cuillère ou une fourchette en bois.

Un chinois ou une passoire très fine en acier inoxydable, à fond arrondi, sont idéals pour obtenir une fine purée, en pressant tous les ingrédients de la sauce au travers, à l'aide d'une cuillère.

Cuillère et fourchette en bois ou spatule sont utiles pour les sauces qui demandent à être longuement mélangées. La spatule à bords droits permet de bien racler le fond et les côtés de la casserole.

Une passoire conique est indispensable pour séparer les liquides des solides, pour éliminer des grains de poivre ou des clous de girofle, par exemple.

Une casserole peu profonde et étroite, à bords droits, est utile pour certaines sauces parce qu'elle permet une répartition égale et constante de la chaleur. L'acier inoxydable empêche la sauce de se décolorer.

6

La vitesse du mixeur donne un velouté incomparable à la sauce, même avec très peu de beurre. Battez la sauce directement dans la casserole, au moment de servir.

Jusqu'à ce que vous soyez capable de mesurer les quantités au jugé, vous pouvez utiliser ce type de cuillères-mesure, disponibles dans les magasins spécialisés.

Un fouet métallique donne d'excellents résultats avec les sauces légères. Choisissez-le en acier inoxydable et essayez-le, pour l'avoir bien en main.

Un fouet à spirale est parfait pour racler le fond et les coins d'une casserole, ce qui permet de remuer toute la sauce pour l'empêcher de brûler.

Une petite louche rend de nombreux services.

Un robot épargne beaucoup de temps et de travail à tous les stades de la préparation, que ce soit pour hacher les ingrédients au début, ou les réduire en purée à la fin.

LE RÔLE DES PRODUITS LAITIERS

Certains ingrédients jouent un rôle prépondérant dans la confection des sauces. Les fines herbes et les épices leur confèrent une saveur particulière (voir p. 70). Quant aux produits laitiers, ils jouent un rôle plus subtil, accentuant l'arôme des autres éléments et donnant velouté et richesse à l'ensemble.

Le BEURRE est particulièrement doué pour rehausser les saveurs. Par exemple, le curry en poudre a un arôme vif et piquant, mais si vous le versez dans du beurre brûlant, il dégagera un parfum extraordinaire.

La CRÈME LIQUIDE permet quelques miracles culinaires par son aptitude à mêler et à enrichir saveurs et parfums des éléments de base.

La CRÈME ÉPAISSE est excellente, aussi bien pour les sauces chaudes que froides, et tout particulièrement avec le poisson. Elle leur donne du velouté en même temps qu'une saveur légèrement acide et délicieuse. La crème allégée donnera satisfaction aux gourmets soucieux de leur ligne.

La CRÈME AIGRE s'obtient en ajoutant un filet de jus de citron à de la crème fraîche, allégée ou non. Elle est parfaite comme base de sauces froides, légères et modernes, et de merveilleux accompagnements pour les salades, le poisson, les fruits de mer et la viande.

Le FROMAGE BLANC LISSE peut être choisi à 20 % de matière grasse, il apporte peu de calories tout en restant velouté. On peut l'allonger avec du lait, du lait Ribot ou de la crème fleurette pour le rendre plus liquide.

Le LAIT reste un élément essentiel dans la confection des sauces. Une sauce au lait crémeuse et bien épaissie constitue la base d'une grande variété d'assaisonnements. Demi-écrémé ou écrémé, le lait apporte moins de calories.

L'acidité légère et la fraîcheur du YAOURT apportent une saveur nouvelle et intéressante aux assaisonnements des salades, ainsi qu'un nombre restreint de calories.

SAUCES DE BASE ET ÉPAISSISSANTS

Il suffit de maîtriser la confection d'un petit nombre de sauces de base pour élargir son champ d'action à des délices insoupçonnées.

Les sauces de base sont le matériau sur lequel s'exercera votre créativité.

Dans les pages suivantes, les sauces les plus courantes sont décrites, étape par étape.

De nombreuses sauces demandent à être épaissies, pour atteindre la consistance requise. Les épaississants sont indiqués pages 12 et 13.

SAUCE BÉCHAMEL

C'est la sauce blanche, faite à base de lait. Toutes les sortes de lait conviennent. La sauce est faite avec de la farine ordinaire, ici avec un roux (voir p. 13), mais on peut aussi utiliser un mélange de farine et d'eau comme épaississant (voir p. 13). La sauce blanche est la base de nombreuses sauces délicieuses. Pour environ 4 portions :

30 g de beurre
2 cs de farine
40 cl de lait

Faites fondre le beurre à feu doux dans une casserole. Ajoutez la farine.

Mélangez farine et beurre. Laissez bouillonner 1 ou 2 mn.

Versez le lait peu à peu, en tournant sans arrêt.

Laissez cuire 3 à 5 mn, pour éliminer le goût de farine. Assaisonner selon votre goût.

Voici quelques assaisonnements simples et rapides :

2 à 3 cs de persil haché fin ou
2 à 3 cs de raifort râpé ou
1 cs de moutarde ou
1 à 2 cs de beurre de saumon fumé

En dernier lieu, salez et poivrez légèrement.

SAUCE BLANCHE LÉGÈRE

Version peu calorique. Le beurre étant absent, la sauce paraîtra plus fade par rapport à la sauce blanche normale ; on peut y remédier par l'adjonction d'assaisonnements originaux. Pour environ 4 portions :

40 cl de lait
2 cs de farine

Mélangez lait et farine dans une casserole.

Portez à ébullition en fouettant sans arrêt. Laissez cuire 3 à 5 mn puis salez et poivrez selon votre goût.

Voici quelques idées d'assaisonnements :

50 g de bleu de Bresse ou
2 à 3 cs de raifort râpé ou
1 cs de purée de tomate ou
1 cs de beurre de saumon fumé

Salez et poivrez selon votre goût.

VELOUTÉ

À base de bouillon léger d'oie, poulet ou légumes par exemple, épaissi avec de la farine. On peut aussi ajouter un jaune d'œuf ou un peu de crème pour une sauce plus moelleuse et plus riche. Pour environ 4 portions :

30 g de beurre
2 cs de farine
40 cl de bouillon léger

Faire fondre le beurre à feu doux.

Ajoutez la farine.

Mélangez, laissez bouillonner 1 à 2 mn.

Versez peu à peu le bouillon, en remuant sans arrêt.

Laissez cuire 3 à 5 mn pour éliminer le goût de farine.

Le velouté est la base de nombre de sauces délicieuses. Voici quelques suggestions d'assaisonnements :

1 à 2 cs de jus de citron ou
1 à 2 cs de purée de tomate ou
$^1/_2$ à 1 cc de curry en poudre (ajoutée au beurre, à la 1re étape) ou
$^1/_2$ poivron rouge ou vert coupé en petits dés.

Ajoutez sel et poivre, si nécessaire.

SAUCE BRUNE— SAUCE ESPAGNOLE

À base de fond brun (bouillon) obtenu avec de la viande rouge, par exemple. Épaissie à la farine de même que le velouté. Rarement servie telle quelle, mais utilisée comme support d'assaisonnements variés. Pour environ 4 portions :

30 g de beurre
2 cs de farine
40 cl de fond brun

Faites fondre le beurre à feu doux.

Ajoutez la farine.

Mélangez, laissez bouillonner 1 à 2 mn.

Versez peu à peu le bouillon, en remuant sans arrêt.

Laissez cuire 3 à 5 mn pour éliminer le goût de farine.

Voici quelques exemples d'assaisonnements :

1 à 2 cs de purée de tomate ou
$^{1}/_{2}$ poivron rouge ou vert coupé en dés ou
1 à 2 cs de porto ou de madère

Ajoutez sel et poivre, si nécessaire.

SAUCE AU JUS DE VIANDE

À base de jus de viande rôtie, braisée ou poêlée. Il faut faire attention à ne pas brûler la viande pour ne pas donner un goût déplaisant à la sauce.
Dégraisser complètement au préalable, en laissant le jus reposer et la graisse remonter sur le dessus. Si vous n'avez pas assez de jus, ajoutez un peu de bouillon. Pour environ 4 portions :

20 cl de jus de viande ou de bouillon
2 cs de farine
1 $^{1}/_{2}$ cs d'eau froide
un peu de Viandox, selon goût

Portez le jus (et éventuellement le bouillon) à ébullition.

Mélangez au fouet l'eau et la farine dans un bol. Versez le mélange en filet dans la casserole, en remuant sans arrêt.

Laissez cuire 3 à 5 mn. Ajoutez un peu de Viandox pour foncer la sauce, si nécessaire.

On peut alors ajouter différents assaisonnements, par exemple :

1 à 2 cs de jus de citron ou
1 à 2 cs de jus d'orange ou
1 cs de madère ou de porto ou
1 à 2 cs de purée de tomate ou
1 cc de baies roses écrasées
et du sel et du poivre.

BEURRE BLANC

Le beurre blanc est une sauce classique au beurre. Il en est d'autres tout aussi bonnes, comme la Béarnaise (p. 45) et la Hollandaise (p. 63). La Béarnaise au goût légèrement acide est très parfumée, à l'estragon ou au persil. La Hollandaise est plus douce. Pour 4 à 6 portions de beurre blanc :

3 échalotes
3 cs de vinaigre de vin blanc
10 cl de vin blanc ou d'eau
250 g de beurre à température ambiante
sel, poivre blanc et jus de citron

Hachez très finement les échalotes dans une casserole avec vinaigre et vin (ou eau). Portez à ébullition, et laissez réduire de moitié.

Passez le tout. Remettez sur feu doux. Ajoutez le beurre par petits morceaux en fouettant vigoureusement.

Ajoutez sel, poivre et jus de citron.

MAYONNAISE

Faire une mayonnaise n'est pas difficile si l'huile est versée lentement en filet, tout en battant bien. Tous les ingrédients doivent être à la même température. Il faut :

2 jaunes d'œuf
$1/2$ cc de sel
$1/4$ de cc de poivre blanc
2 cc de vinaigre
30 cl d'huile
jus de citron

Mettez les jaunes dans un bol. Ajoutez sel, poivre, vinaigre. Mélangez rapidement au fouet.

Ajoutez l'huile, goutte à goutte, puis en filet, en fouettant sans arrêt.

Ajoutez le jus de citron.

Il est plus facile d'utiliser un robot. Mettez jaunes, sel, poivre, vinaigre dans le bol du robot et mixez. Versez l'huile peu à peu, le robot continuant à tourner. Pour rendre la mayonnaise plus légère, on peut lui ajouter de la crème fouettée et de la crème aigre.

VINAIGRETTE

Assaisonnement classique aussi bon nature qu'aromatisé. Les proportions habituelles sont 1 pour le vinaigre à 3 pour l'huile, mais on peut les adapter au goût. À faire au moment de servir. Il faut :

1 cs de vinaigre
$1/4$ de cc de sel
$1/4$ de cc de poivre
3 cs d'huile d'olive ou 2 cs d'huile + 1 cs d'eau

Versez le vinaigre dans un bol ou dans une bouteille. Ajoutez sel, poivre et les épices et condiments choisis.

Ajoutez l'huile ou le mélange huile-eau. Fouettez ou agitez.

Quelques idées pour aromatiser :

1 cc de moutarde ou
$1/2$ à 1 gousse d'ail écrasée ou
2 cs d'un mélange de persil, aneth, estragon et cerfeuil hachés ou
1 cc d'herbes séchées spéciales salade (type Ducros)

ÉPAISSISSANT À LA CRÈME

Parfait pour épaissir la graisse laissée dans la poêle où l'on a fait sauter oignons ou viande. La farine absorbe la graisse avant que l'on ajoute le liquide nécessaire. Pour 300 à 400 g de viande :

2 cs de farine
30 à 35 cl de lait ou de crème liquide

Faites rissoler la viande. Saupoudrez de farine.

Ajoutez lait ou crème, peu à peu, en remuant sans arrêt pendant au moins 3 à 5 mn.

BEURRE MANIÉ

Utilisé pour épaissir les sauces et les ragoûts. Parfait pour une sauce trop liquide. Ajoutez le beurre manié par petits morceaux jusqu'à obtention de la consistance désirée. Pour épaissir 40 cl de sauce :

30 g de beurre mou
2 cs de farine

Mélangez intimement beurre et farine.

Ajoutez le mélange à la sauce, par petits morceaux, sur feu moyen, en fouettant sans arrêt. Laissez cuire encore 3 à 5 mn.

ÉPAISSISSANT À L'EAU

L'épaississant est ajouté à la sauce terminée. Convient donc aux sauces trop liquides. Pour épaissir 40 cl de sauce :

3 cs d'eau
2 cs de farine

Mélangez au fouet eau et farine dans un bol.

Versez le mélange dans la sauce, sur feu moyen, en fouettant sans arrêt. Laissez cuire 3 à 5 mn.

ROUX

Mélange de farine et de graisse, utilisé comme base de sauces qui seront épaissies en ajoutant les ingrédients liquides au roux. Pour 40 cl de sauce :

30 g de beurre
2 cs de farine

Faites fondre le beurre à feu doux dans une casserole. Ajoutez la farine, mélangez.

Laissez bouillonner quelques minutes.

Versez la sauce peu à peu, en remuant sans arrêt. Laissez cuire 3 à 5 mn.

SAUCES POUR

LES SALADES

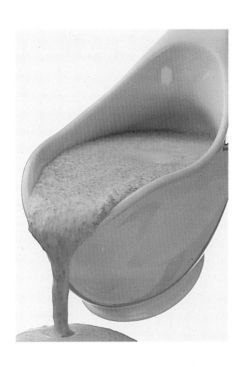

SAUCE AUX NOIX — 17
SAUCE DE DIJON — 18
SAUCE À L'ANETH — 18
SAUCE À LA MAYONNAISE — 18

SAUCE À LA CRÈME
ET AUX BAIES ROSES — 15
CRÈME AIGRE
À LA TOMATE — 15
SAUCE PIMENTÉE — 15
SAUCE DU GOURMET — 16
SAUCE DE CRANKS — 16
SAUCE À LA MOUTARDE — 16
SAUCE AU CONCOMBRE — 17
SAUCE À L'ANETH
ET À LA TOMATE — 17

CRÈME À LA MOUTARDE — 19
SAUCE À LA POMME — 19
SAUCE À L'AIL — 19
SAUCE DU JARDINIER — 20
SAUCE AMÉRICAINE — 20
SAUCE DE CÉSAR — 20
SAUCE À LA RUSSE — 21
SAUCE DE MADRAS — 21
SAUCE À LA CRÈME AIGRE
ET AU BLEU — 21
CRÈME À L'AVOCAT — 22

SAUCE AU CÉLERI — 22
SAUCE AU VIN ROSÉ
ET AUX FINES HERBES — 22
SAUCE ROSE — 23
DIP RAPIDE — 23
SAUCE À L'ANCIENNE — 23
VINAIGRETTE AU BLEU — 24
SAUCE À LA TOMATE
ET AU PIMENT — 24
SAUCE AU PIMENT
ET AU YAOURT — 24

SAUCE À LA CRÈME ET AUX BAIES ROSES

20 cl de crème fraîche ou de crème aigre 1 à 2 cc de baies roses, sel.

Versez la crème fraîche ou aigre directement dans le plat de service.

Écrasez les baies roses dans un mortier.

Mélangez le poivre à la crème, salez selon votre goût. Mettez au frais 1 h avant de servir. Convient pour toutes les salades ainsi que pour la viande poêlée, le poisson ou le poulet.

Pour 4 personnes

CRÈME AIGRE À LA TOMATE

20 cl de crème aigre, 2 à 3 cc de harissa, 1 cc de ketchup, 1 gousse d'ail pelée, poivre citronné, tabasco.

Versez la crème aigre dans une jatte et ajoutez la harissa et le ketchup.

Pressez l'ail et mélangez bien.

Ajoutez poivre et tabasco à votre goût. Mettez au frais avant de servir. Délicieuse avec laitue, concombre et salade de pommes de terre.

Pour 4 personnes

SAUCE PIMENTÉE

10 cl de fromage blanc, 1 gousse d'ail pelée, 5 cl de ketchup épicé et, selon goût, 5 cl de lait.

Versez le fromage blanc dans une jatte. Pressez l'ail et mélangez.

Ajoutez le ketchup, mélangez.

On peut diluer avec le lait pour un assaisonnement moins épais. Mettez au frais avant de servir. Délicieuse avec salade, chou-fleur, crudités, haricots blancs cuits et chou blanc,

Pour 3 à 4 personnes

SAUCE DU GOURMET

20 cl de crème liquide
10 cl de mayonnaise
1 à 2 cs de jus de citron
$^1/_2$ cc de sel
1 cc de sucre
1 gousse d'ail pressée
quelques gouttes de tabasco
1 pincée de poivre de Cayenne
2 à 3 cc de harissa
1 cs de xérès

Fouettez la crème et mélangez avec les autres ingrédients. Mettez au frais plusieurs heures avant de servir.
Parfaite pour toutes les salades.

Pour 6 personnes

SAUCE DE CRANKS

1 cs de vinaigre
1 $^1/_2$ cs d'eau
1 $^1/_2$ cs d'huile
10 cl de yaourt ou de crème aigre
$^1/_4$ de cc de sel
1 pincée de poivre blanc
2 cc de moutarde

Mélangez vinaigre, eau, huile et yaourt ou crème aigre. Ajoutez sel, poivre et moutarde. Mélangez avec des pousses d'alfalfa (ou germes de soja) si vous le désirez.
Délicieuse avec toutes les salades et les crudités.

Pour 4 personnes

SAUCE À LA MOUTARDE

2 œufs durs
1 cs de moutarde
1 cs de jus de citron
$^1/_2$ cc de sel
1 pincée de poivre noir
3 cs de crème fouettée
1 cs de ciboulette ciselée

Séparez les jaunes des blancs. Fouettez les jaunes avec la moutarde. Ajoutez le jus de citron, puis sel et poivre selon votre goût et enfin la crème et la ciboulette. Hachez les blancs et saupoudrez-les sur le mélange.
Versez sur votre salade préférée.

Pour 2 à 3 personnes

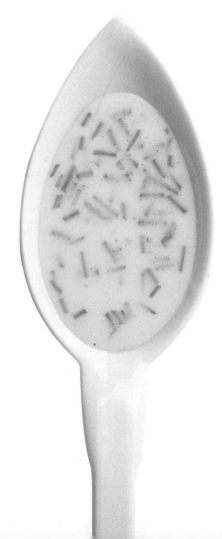

SAUCE AU CONCOMBRE

1 petit concombre (environ 20 cm de long)
30 cl de crème fraîche
sel et poivre blanc
environ 2 cs d'estragon ou de cerfeuil frais
hachés

Coupez le concombre en morceaux et
réduisez-le en purée au robot. Ajoutez la
crème fraîche, les herbes et assaisonner selon
votre goût, puis passez à la passoire fine.
Parfaite pour toutes les salades.

Pour 6 personnes

SAUCE À L'ANETH
ET À LA TOMATE

10 cl de jus de tomate
20 cl de crème liquide
2 à 3 cs d'aneth en grains ou 3 à 4 cs d'aneth
frais haché
sel et poivre

Portez le jus de tomate à ébullition. Ajoutez
crème et aneth. Laissez cuire 4 à 5 mn puis
salez et poivrez selon votre goût. Passez la
sauce et laissez refroidir.
Parfaite pour la plupart des salades.

Pour 6 personnes

SAUCE AUX NOIX

20 cl de crème aigre
3 cs de noix hachées
3 cs de persil haché fin
1 cc de vinaigre de vin blanc
$1/4$ de cc de poivre noir
sel

Mélangez crème aigre, noix, persil, vinaigre
et poivre. Salez selon votre goût.
Cet assaisonnement fait ressortir le goût de
la laitue, de l'avocat, du concombre et du
chou-fleur.

Pour 4 personnes

SAUCE DE DIJON

1 échalote, 20 cl de crème aigre, 1 cs de moutarde douce.

Hachez très finement l'échalote.

Versez la crème dans une jatte et ajoutez l'échalote.

Ajoutez la moutarde. Mélangez bien. Mettez au frais avant de servir.
Parfaite pour les salades vertes et les tomates.

Pour 4 personnes

SAUCE À L'ANETH

20 cl de crème aigre, 1 cc de grains de cumin écrasés, 1 cc de moutarde douce, 6 cs d'aneth ciselé.

Versez la crème dans une jatte.

Assaisonnez avec le cumin et la moutarde.

Ciselez l'aneth et ajoutez à la crème. Mettez au frais avant de servir.
Versez sur de la salade verte ou des tomates.

Pour 4 personnes

SAUCE À LA MAYONNAISE

10 cl de mayonnaise (voir p. 12), 10 cl de lait, 5 cl de ketchup épicé, 1 cc d'estragon séché.

Versez la mayonnaise et le lait dans un bol.

Fouettez le mélange pour le rendre lisse.

Ajoutez le ketchup.

Émiettez l'estragon et mélangez bien.
Convient pour toutes sortes de salades.

Pour 4 à 6 personnes

CRÈME À LA MOUTARDE

20 cl de crème aigre, 10 cl de lait, 2 cs de moutarde, 2 cs de ketchup, ¹/₂ cc de quatre-épices, 3 cs d'aneth.

Mélangez crème aigre et lait dans une jatte.

Ajoutez la moutarde, le ketchup et le quatre-épices.

Ajoutez l'aneth finement haché.

Fouettez la sauce pour la rendre lisse puis servez avec n'importe quelle salade, carottes râpées, chou blanc, salade de riz, salade de macaronis.

Pour 4 à 6 personnes

SAUCE À LA POMME

1 grosse pomme, 20 cl de crème aigre, 1 à 2 cs de radis noir râpé, 1 cc de vinaigre, ¹/₂ cc de sucre.

La pomme peut être râpée avec ou sans la peau. Ne râpez pas le cœur.

Mélangez rapidement avec la crème aigre et le radis noir.

Ajoutez vinaigre et sucre selon votre goût. Délicieuse avec de la laitue ou de la salade de pommes de terre.

Pour 4 personnes

SAUCE À L'AIL

20 cl de crème aigre, 3 cs de persil, 1 à 2 gousses d'ail pelées, sel et poivre.

Versez la crème aigre directement dans le plat de service.

Hachez fin le persil et mélangez-le à la crème.

Pressez l'ail dans le plat et ajoutez sel et poivre à votre goût. Mettez au frais environ 30 mn avant de servir.
Très bonne avec salades vertes, crudités, haricots blancs cuits à l'eau et champignons crus.

Pour 4 personnes

SAUCE DU JARDINIER

10 cl de crème fraîche, 50 g d'épinards frais ou surgelés, décongelés et égouttés, 1 gousse d'ail pelée, 2 cs de persil, 2 cs d'aneth, 1 à 2 cs de câpres, 10 cl de crème aigre, 1 brin d'estragon, sel, poivre.

Mettez crème, épinards, ail, persil, aneth et câpres dans le bol du robot.

Ajoutez la crème aigre.

Ajoutez l'estragon et mixez jusqu'à obtenir une sauce lisse. Salez et poivrez selon votre goût.
Convient pour toutes sortes de salades.

Pour 4 personnes

SAUCE AMÉRICAINE

3 cs de ketchup épicé, 5 cl de crème fraîche, 15 cl de crème aigre, 8 gouttes de Worcester sauce.

Mettez le ketchup et la crème fraîche dans le bol du robot.

Ajoutez la crème aigre.

Ajoutez la Worcester sauce et faites tourner jusqu'à obtention d'une sauce lisse.
Cette sauce « réveille » toutes les salades.

Pour 4 personnes

SAUCE DE CÉSAR

2 cc de câpres, les filets de 3 sardines en boîte, 1 gousse d'ail pelée, 10 cl de crème aigre, 10 cl de crème fraîche, 1 jaune d'œuf, 1 cc de moutarde forte (ou Colman en poudre).

Mettez câpres, sardines, ail, crèmes fraîche et aigre dans le robot.

Ajoutez le jaune d'œuf.

Ajoutez la moutarde et mixez jusqu'à obtention d'une sauce lisse.
Versez la sauce sur de la laitue garnie de croûtons frits.

Pour 4 personnes

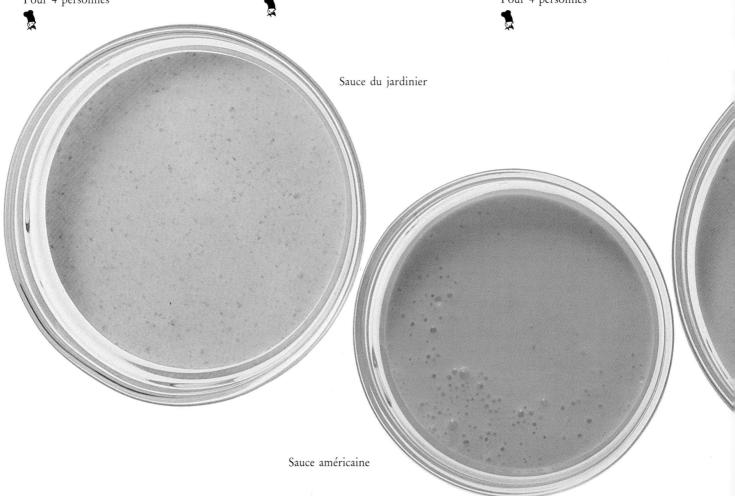

Sauce du jardinier

Sauce américaine

SAUCE À LA RUSSE

1 betterave moyenne conservée au vinaigre, 1 cs de petits oignons au vinaigre, 20 cl de crème aigre, 1 cs de câpres.

Mettez la betterave et l'oignon dans le bol du robot.

Ajoutez la crème aigre.

Ajoutez les câpres. Mixez quelques secondes pour que la sauce reste légèrement grumeleuse.
Particulièrement bonne avec les salades vertes et les crudités.

Pour 4 personnes

SAUCE DE MADRAS

1 cc de harissa, 1 cs de curry en poudre, 1 cs de chutney, 20 cl de crème aigre, quelques gouttes de tabasco.

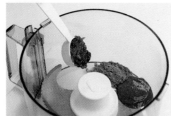

Mettez la harissa, le curry et le chutney dans le bol du robot.

Ajoutez la crème aigre.

Versez le tabasco et mixez jusqu'à obtention d'une sauce lisse.
Idéale pour « réveiller » toutes les salades vertes.

Pour 4 personnes

SAUCE À LA CRÈME AIGRE ET AU BLEU

60 g de bleu de Bresse, 3 cs de noix hachées, 6 cl de crème aigre, sel.

Émiettez le bleu de Bresse dans le bol du robot. Ajoutez les noix.

Ajoutez la crème aigre et laissez tourner jusqu'à obtention d'une sauce lisse.

Salez selon votre goût.
Délicieuse avec laitue, concombre et champignons crus.

Pour 4 personnes

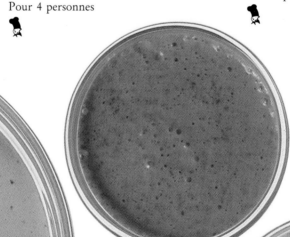

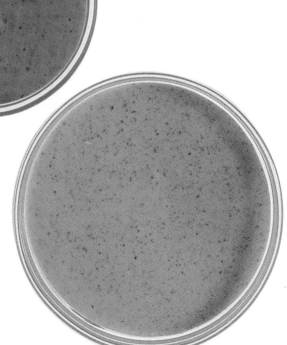

Sauce de César

Sauce à la russe

Sauce de Madras

CRÈME À L'AVOCAT

1 avocat bien mûr
20 cl de crème aigre ou fraîche
1 cc de jus de citron

Coupez l'avocat en deux, pelez-le et retirez le noyau. Écrasez-le avec une fourchette et mélangez avec la crème aigre ou fraîche et le jus de citron. Le mélange peut être fait au robot.
Très agréable avec une salade verte et des champignons crus.

Pour 4 personnes

SAUCE AU CÉLERI

20 cl de crème aigre
2 cs de mayonnaise
6 cs de céleri-rave râpé
$^1/_2$ cc de sel
$^1/_4$ à $^1/_2$ cc de poivre noir en grains, grossièrement écrasés si possible
1 à 2 cc de moutarde

Mélangez crème aigre et mayonnaise. Râpez le céleri et mélangez-le aussitôt avec la crème pour l'empêcher de brunir. Ajoutez sel, poivre et moutarde.
Délicieuse avec toutes les salades, avec les œufs durs, mais aussi avec du pâté.

Pour 4 personnes

SAUCE AU VIN ROSÉ ET AUX FINES HERBES

20 cl de crème aigre
3 cs de vin rosé
1 à 2 cs d'estragon séché
1 à 2 cs de cerfeuil séché
ou double quantité de ces herbes fraîches hachées
sel

Mélangez tous les ingrédients. Laissez au réfrigérateur pendant quelques heures avant de servir. Salez à votre goût.
Convient pour toutes les salades.

Pour 4 personnes

SAUCE ROSE

6 à 7 cs de graines de tournesol
eau
1 petite betterave rouge cuite
20 cl de fromage blanc
1 gousse d'ail pelée
$^1/_2$ cc de sel
$^1/_2$ cc de fines herbes en poudre

Pulvérisez les graines de tournesol avec un peu d'eau dans un robot. Ajoutez la betterave coupée en morceaux puis le fromage blanc. Pressez l'ail et ajoutez-le au mélange. Mixez jusqu'à obtention d'une sauce crémeuse. Salez selon votre goût.
Convient pour toutes les salades.

Pour 4 personnes

DIP RAPIDE

20 à 30 cl de crème aigre
1 à 2 cc de vinaigrette
$^1/_2$ cc de sel
$^1/_2$ de cc de poivre noir
1 cc de curry ou de paprika
$^1/_2$ de cc de sucre, selon le goût

Mélangez la crème aigre avec tous les autres ingrédients et fouettez bien. Mettez au frais au moins 30 mn avant de servir.
Utilisez ce dip pour tremper carottes, concombres, champignons crus, avec du pain grillé ou des crackers.

Pour 4 à 6 personnes

SAUCE À L'ANCIENNE

15 cl de crème liquide
1 à 2 cs de jus de citron ou de vinaigre
$^1/_2$ cs de sucre
1 cc de moutarde
sel et poivre blanc

Mélangez crème, jus de citron ou vinaigre, sucre et moutarde puis salez et poivrez à votre goût.
Une note fraîche pour des salades vertes et des crudités.

Pour 4 personnes

23

VINAIGRETTE AU BLEU

40 g de bleu de Bresse
1 cs de vinaigre de xérès
5 cs de fromage blanc
1 cs de ciboulette ciselée
2 cs d'huile de noix
sel et poivre frais moulu

Écrasez le fromage avec une fourchette et mélangez-le dans une jatte avec les autres ingrédients. Salez et poivrez légèrement, le fromage étant déjà salé.
Délicieuse avec une salade toute simple et des noix grillées.

Pour 4 personnes

SAUCE À LA TOMATE
ET AU PIMENT

6 tomates moyennes bien mûres
10 cl de crème fraîche
2 cc de piment fort, très finement haché
basilic frais ciselé
sel et poivre frais moulu

Réduisez les tomates en purée dans un robot. Passez pour éliminer les graines et la peau. Incorporez crème fraîche, piment et basilic. Salez et poivrez selon votre goût.
Délicieuse sur une salade de tomates agrémentée de ciboulette.

Pour 4 personnes

SAUCE AU PIMENT
ET AU YAOURT

20 cl de yaourt nature
1 gousse d'ail écrasée
un morceau de concombre (5 cm), finement émincé
$1/2$ à 1 cc de piment fort très finement haché
3 cs de ciboulette et persil hachés
3 cs de noix
sel

Mélangez dans une jatte yaourt, ail, concombre, piment, persil et ciboulette. Humectez les noix avec de l'eau et saupoudrez de sel. Faites les griller dans le four à 250° pendant 10 mn, puis concassez-les et ajoutez-les au mélange.
Excellente avec toutes les salades vertes.

Pour 4 personnes

LA ROMAINE

La romaine est de la même famille que la laitue mais ses feuilles extérieures sont plus lon-
gues et plus croquantes. On la lie quelque
temps avant de la cueillir, ce qui donne un
cœur blanc et tendre. On la trouve toute
l'année, mais seulement en été chez les maraî-
chers locaux. Son goût un peu plus marqué
et sa texture croquante en font une salade
idéale, et ses feuilles allongées sont parfaites
pour présenter des sauces crémeuses.

SAUCES POUR
LES LÉGUMES

SAUCE AU TARAMA _____ 27

CRÈME AUX NOIX _____ 28

SAUCE FROIDE
AU FROMAGE _____ 28

SAUCE SCANDINAVE _____ 28

HOLLANDAISE
AUX NOISETTES _____ 29

SAUCE PIQUANTE
AUX FINES HERBES _____ 29

CRÈME D'AVOCAT
À L'ANETH _____ 29

SAUCE FROIDE
AU SAFRAN _____ 30

SAUCE ÉGALITÉ _____ 30

BEURRE CITRONNÉ _____ 30

SAUCE MOUSSEUSE _____ 31

SAUCE À LA CRÈME
CITRONNÉE _____ 27

SAUCE CHAUDE
AU FROMAGE _____ 27

BEURRE DE PERSIL _____ 31

SAUCE AU BEURRE
ET AUX CÈPES _____ 31

SAUCE AU CRESSON _____ 32

SABAYON
AUX FINES HERBES _____ 32

SAUCE PIMENTÉE
À L'AVOCAT _____ 32

SAUCE
À LA CRÈME CITRONNÉE

20 cl de crème liquide, 1 cs de farine, ½ citron bien lavé, poivre noir.

Mélangez la crème et la farine dans une casserole.

Faites cuire 3 mn en remuant sans cesse.

Râpez le zeste de citron.

Ajoutez zeste et poivre à la sauce. Servez avec des légumes cuits à l'eau ou à la vapeur, particulièrement avec asperges, poireaux et brocoli.

Pour 2 ou 3 personnes

SAUCE CHAUDE
AU FROMAGE

40 cl de lait, 2 cs de farine, 170 à 225 g de fromage à pâte ferme ou de gruyère râpé, poivre.

Mélangez farine et lait dans une casserole. Faites cuire 3 mn en remuant sans cesse.

Râpez le fromage.

Ajoutez le fromage à la sauce et mélangez jusqu'à ce qu'il soit fondu. Ne laissez pas bouillir. Poivrez à votre goût.
Parfaite pour les légumes cuits à l'eau, comme les poireaux et les brocoli, mais aussi pour les gratins.

Pour 4 personnes

SAUCE AU TARAMA

40 cl de lait, 2 cs de farine, 3 cs d'aneth frais haché, 2 cs de tarama, 15 à 30 g de beurre, poivre.

Mélangez lait et farine dans une casserole. Faites cuire 3 mn en remuant sans arrêt.

Ajoutez l'aneth et le tarama.

Ajoutez peu à peu le beurre, en fouettant sans arrêt. Salez et poivrez selon votre goût. Servez avec des légumes cuits à l'eau ou à la vapeur, comme le chou-fleur, les rutabagas et le chou-blanc.

Pour 4 personnes

27

CRÈME AUX NOIX

20 cl de crème fraîche, 1 cc d'huile de noix selon le goût, 100 g de noix.

Versez la crème fraîche dans un bol ainsi que l'huile, éventuellement.

Hachez fin les noix.

Mélangez-les à la crème et servez avec des légumes cuits à l'eau ou des tartes aux légumes.

Pour 3 à 4 personnes

SAUCE FROIDE AU FROMAGE

30 g de bleu, 10 cl de crème aigre, 10 cl de crème fraîche, 2 cs de fromage râpé (gruyère ou parmesan), une pincée de muscade râpée, une pincée de poivre de Cayenne.

Râpez le bleu.

Mélangez avec la crème aigre et la crème fraîche.

Ajoutez le fromage râpé ainsi que la muscade et le poivre de Cayenne à votre goût. Mélangez bien.
Parfaite pour tous les légumes cuits à l'eau.

Pour 3 ou 4 personnes

SAUCE SCANDINAVE

20 cl de crème aigre ou de fromage blanc
2 cs de mayonnaise
1 cs de ketchup épicé
200 g environ de crevettes roses finement hachées
3 cs d'aneth ciselé
poivre
un peu d'œufs de lump, à votre goût
rondelles de citron

Mélangez la crème aigre ou le fromage blanc avec la mayonnaise et le ketchup. Ajoutez les crevettes et l'aneth. Poivrez.
Servez avec des pommes de terre cuites au four. Une cuillère d'œufs de lump posée sur chaque pomme de terre rend le plat délicieux. Décorez avec de l'aneth. Servez avec des rondelles de citron.

Pour 3 ou 4 personnes

HOLLANDAISE
AUX NOISETTES

200 g de beurre à température ambiante
3 jaunes d'œuf
2 cs d'eau
1/4 de cc de poivre de Cayenne
1 cs de jus de citron
6 cs de noisettes hachées

Faites fondre le beurre à feu doux et réservez-le. Mettez les jaunes d'œuf et l'eau à cuire au bain-marie et fouettez sans arrêt jusqu'à obtention d'un mélange crémeux. Retirez le bain-marie du feu. Ajoutez le beurre par petits morceaux. Ajoutez le poivre de Cayenne et le jus de citron à votre goût. Hachez grossièrement les noisettes et faites-les griller dans une poêle non-adhésive.
Versez la sauce sur des légumes cuits à l'eau et saupoudrez de noisettes. Servez aussitôt.

Pour 6 personnes

SAUCE PIQUANTE
AUX FINES HERBES

2 échalotes
5 cl de vinaigre de vin blanc
5 cl de vin blanc
10 cl de crème liquide
150 g de beurre à température ambiante
30 g en tout des herbes suivantes : persil, aneth, cerfeuil et estragon
sel et poivre

Ciselez les échalotes et faites-les fondre à feu doux dans un peu de beurre. Ajoutez le vinaigre et le vin blanc et laissez bouillir à grand feu et laissez réduire de deux tiers. Ajoutez la crème et laissez cuire 1 mn. Ajoutez le beurre par petits morceaux puis versez dans le bol d'un robot avec les herbes. Mixez jusqu'à obtention d'une sauce lisse. Salez et poivrez.
Ajoute une saveur raffinée à tous les légumes cuits à l'eau.

Pour 4 à 6 personnes

CRÈME D'AVOCAT
À L'ANETH

1 avocat bien mûr
1 gousse d'ail écrasée
5 cl d'eau
2 cc d'huile, selon le goût
2 cs de crème fraîche
1 cs d'aneth haché
1/2 cc de miel
1/2 cc de sel
2 cs de jus de citron

Réduisez en purée l'avocat, au robot ou au moulin à légumes. Ajoutez tous les autres ingrédients. Mélangez à nouveau au robot ou à la main, jusqu'à obtention d'une crème lisse. Cette sauce est excellente pour l'avocat et la salade verte.

Pour 2 personnes

SAUCE FROIDE AU SAFRAN

30 g de beurre, une pincée de safran en poudre, 30 cl de crème liquide, 10 à 15 cl de crème fraîche, sel et poivre, 1 cs de graines de sésame.

Faites fondre le beurre dans une casserole et ajoutez le safran.

Laissez bouillonner 2 à 3 mn et ajoutez la crème liquide. Faites bouillonner encore quelques minutes.

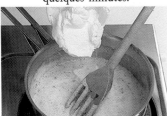

Incorporez la crème fraîche.

Salez, poivrez et saupoudrez avec les graines de sésame préalablement grillées. Servez la sauce froide avec des légumes cuits à l'eau ou à la vapeur.

Pour 6 personnes

SAUCE ÉGALITÉ

20 cl de crème liquide ou de lait, 2 jaunes d'œuf, 200 g de gruyère (ou autre fromage à pâte dure) râpé, sel, poivre.

Versez la crème ou le lait dans une casserole et portez à ébullition.

Retirez la casserole du feu. Ajoutez jaunes et fromage. Fouettez pour faire fondre le fromage. Ne laissez pas cuire.

Salez et poivrez à votre goût.
Servez avec des légumes cuits à l'eau, poireaux, brocoli et chou-fleur, en particulier.

Pour 4 personnes

BEURRE CITRONNÉ

50 g de beurre à température ambiante, 3 à 4 cs de crème fraîche, 1 à 2 cc de jus de citron, quelques gouttes de tabasco et du sel, si nécessaire.

Écrasez le beurre en pommade à la fourchette, dans un bol.

Ajoutez peu à peu la crème fraîche, en fouettant sans arrêt.

Ajoutez le jus de citron, le tabasco et, si nécessaire, du sel.
Laissez fondre ce beurre sur des légumes cuits à l'eau.

Pour 4 personnes

SAUCE MOUSSEUSE

30 g de beurre, 2 cs de farine, 20 cl de bouillon de légumes, 20 cl de lait, 2 jaunes d'œuf, sel et poivre, 1 cs de jus de citron selon le goût, 10 cl de crème fouettée.

Faites fondre le beurre dans une casserole. Ajoutez la farine. Cuire 1 mn. Incorporez peu à peu bouillon et lait.

Laissez cuire doucement le mélange, 3 à 5 mn, en remuant de temps à autre.

Retirez la casserole du feu et incorporez les jaunes. Ajoutez sel, poivre et éventuellement le jus de citron.

Ajoutez enfin la crème fouettée et battez le mélange pour que la sauce devienne mousseuse. Ne laissez pas cuire davantage. Versez sur des légumes cuits à l'eau.

Pour 4 personnes

BEURRE DE PERSIL

100 g de beurre à température ambiante
1 à 2 cc de jus de citron
1 gousse d'ail hachée fin
2 cs de persil haché
1 cc de sel
une pincée de poivre blanc

Travaillez le beurre en pommade. Incorporez jus de citron, ail, persil, sel et poivre. Servez tel quel dans le bol ou roulez dans un papier sulfurisé, mettez au réfrigérateur et coupez en rondelles au moment de servir.
Délicieux avec des légumes cuits.

Pour 4 à 6 personnes

SAUCE AU BEURRE
ET AUX CÈPES

20 g de cèpes séchés
2 échalotes
1 à 2 cs de vinaigre de vin blanc
5 cl de vin blanc
10 cl de crème liquide
150 g de beurre à température ambiante
sel et poivre

Faites tremper les champignons dans un peu d'eau chaude, juste assez pour les couvrir. Hachez les échalotes et les champignons et mettez-les dans une casserole sur feu doux avec un peu de beurre. Ajoutez le vinaigre et le vin blanc, portez à ébullition et laissez réduire à un tiers. Incorporez la crème et laissez cuire la sauce 1 mn. Ajoutez le reste du beurre par petits morceaux en remuant sans arrêt puis salez et poivrez selon votre goût. Parfaite pour les légumes cuits à la vapeur.

Pour 4 personnes

SAUCE AU CRESSON

2 bottes de cresson
20 cl d'huile d'olive
1 jaune d'œuf
1 cs de jus de citron
1 cc de moutarde forte
sel
$^1/_2$ cc de piment rouge haché fin
10 cl de crème liquide
poivre frais moulu

Portez à ébullition une grande quantité d'eau salée. Plongez le cresson dedans pendant 10 s, égouttez et rafraîchissez dans l'eau glacée. Pressez bien pour faire sortir l'eau puis réduisez en purée dans un robot. Ajoutez un peu d'huile et continuez à mixer. On peut éventuellement passer le mélange à la passoire. Faites une mayonnaise avec le jaune d'œuf, le jus de citron, la moutarde et le reste de l'huile (voir p. 12). Ajoutez sel et piment selon votre goût puis incorporez la purée de cresson à la mayonnaise. Fouettez la crème et incorporez-la délicatement au mélange. Poivrez.
Servez la sauce avec des légumes chauds.

Pour 6 à 8 personnes

SABAYON AUX FINES HERBES

1 œuf
2 jaunes d'œuf
3 cs de bouillon de légumes
100 g de beurre fondu
1 $^1/_2$ cs de jus de citron
sel et poivre frais moulu
cerfeuil et ciboulette

Fouettez l'œuf, les jaunes d'œuf et le bouillon dans une casserole, sur feu doux. Retirez du feu et ajoutez le beurre, morceau par morceau, en fouettant sans arrêt. Ajoutez le jus de citron, sel et poivre. Hachez fin les herbes et mélangez-les à la sauce. Fouettez le mélange pour le rendre mousseux.
Servez avec des légumes cuits à l'eau ou à la vapeur, en particulier des asperges.

Pour 8 à 10 personnes

SAUCE PIMENTÉE À L'AVOCAT

2 avocats bien mûrs
1 cc de piment rouge frais ciselé
10 cl de crème fraîche
le jus d'$^1/_2$ citron vert
coriandre fraîche
sel

Mettez l'avocat, le piment et la crème fraîche dans le bol d'un robot et réduisez en purée lisse. Ajoutez jus de citron vert, coriandre et sel selon votre goût.
Servez la sauce chaude, comme accompagnement pour des crudités ou des légumes cuits.

Pour 4 à 6 personnes

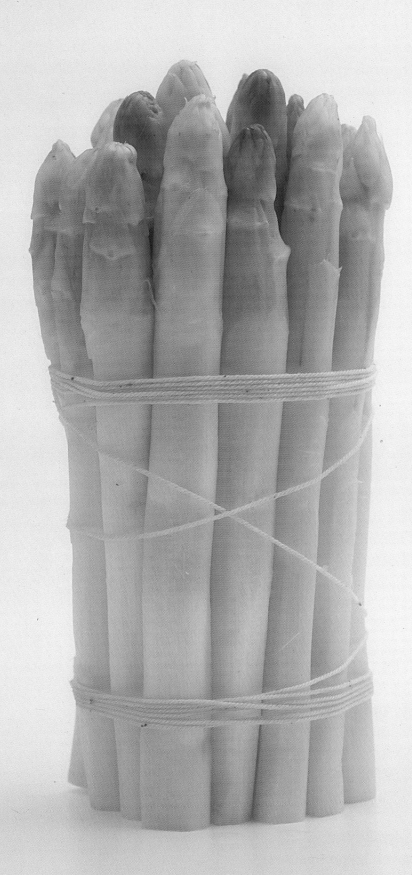

LES ASPERGES

Il existe environ vingt sortes d'asperges mais les plus courantes sont la blanche, la violette et la verte. La grosse asperge blanche pousse dans toute l'Europe. On la coupe avant que la pointe n'apparaisse au-dessus du sol. On peut aussi couvrir les pointes avec un mélange de terreau, d'engrais et de sable, afin que l'asperge s'allonge très vite tout en restant blanche. On laisse en revanche émerger de quelques centimètres l'asperge violette, qui est très fruitée. L'asperge verte pousse au-dessus du sol et possède une texture plus fibreuse, mais savoureuse. On les trouve sur les marchés de mai à juin. Mangez-les tout juste cuites à l'eau, avec du vinaigre, une sauce hollandaise ou une sauce au beurre.

LE BOUILLON, ÂME DES SAUCES

Pour faire un bon bouillon, il faut oublier les principes culinaires habituels : au lieu de produits jeunes et frais, on utilise les plus mûrs et les plus « goûteux », légumes épanouis et viandes rassises d'animaux adultes, à la saveur puissante et au fumet pénétrant. On doit en extraire tous les sucs et pour cela, laisser cuire les ingrédients à petits bouillons jusqu'à ce que le bouillon ait pris tout leur arôme. Le processus dure au moins deux heures.

Les os jouent un rôle important dans la confection d'un bouillon en particulier les os à moelle, mais leur nombre doit être restreint, sous peine d'obtenir un bouillon gélatineux. Il est parfois difficile de trouver de bons os, le boucher les jetant le plus souvent, mais si vous lui demandez à l'avance, il saura vous garder les meilleurs.

Pour un bouillon plus foncé, faites revenir un morceau de viande et ajoutez-le au reste, ce qui donne d'ailleurs une saveur plus corsée. Pour ne pas dénaturer le goût des sucs extraits des os, il est important de maintenir une température basse et constante. Utilisez une casserole à fond épais qui répartisse également la chaleur. Évitez l'aluminium qui peut changer la couleur et la limpidité du bouillon. N'abusez pas des épices comme base de sauces, il est préférable de ne pas mettre d'épices ou de fines herbes, celles-ci étant ajoutées ensuite selon les recettes.

Le bouillon, en chauffant, produit de l'écume. Pour qu'il soit bien limpide, il faut retirer cette écume de temps à autre. En dehors de cette opération, on peut laisser le bouillon frémir sans plus s'en occuper. Quand il est prêt, passez-le à travers une passoire fine et, pour obtenir un bouillon tout à fait limpide, à travers un linge fin.

Si vous n'utilisez pas le bouillon aussitôt, laissez-le refroidir, sans couvercle, puis gardez-le au réfrigérateur dans un récipient herméti-que, où il se conservera 3 à 4 jours. Vous pouvez aussi le mettre au congélateur, dans un récipient en plastique, avec un couvercle.

Voici une recette de bouillon de viande servant de base à de nombreuses sauces brunes :

BOUILLON DE VIANDE

1 carotte, 1 poireau, 1 petit oignon, 1 petit morceau de céleri-rave, 1 kg d'os, 1/2 feuille de laurier, 4 grains de poivre et 1/2 cc de sel.

1. Hachez grossièrement les légumes et mettez-les dans un grand faitout avec les os, le laurier et l'assaisonnement.

2. Couvrez d'eau.

3. Laissez le tout frémir, sans couvercle, pendant environ deux heures ou jusqu'à ce que tous les sucs soient extraits.

4. Retirez les os et passez le bouillon et les légumes à travers une passoire fine.

5. Réchauffez le bouillon avant de l'utiliser pour préparer une sauce. Diluez avec de l'eau, si nécessaire, et assaisonnez selon votre goût.

6. Vous pouvez également le laisser refroidir et le mettre de côté, comme indiqué plus haut.

SAUCES POUR
LES VIANDES

SAUCE À L'ORANGE_____ 39
SAUCE AU POIVRE NOIR__ 39
SAUCE AU VINAIGRE
DE XÉRÈS_____ 39
SAUCE À LA MOUTARDE__ 40
SAUCE AU ROMARIN_____ 40
SAUCE
AUX CHAMPIGNONS_____ 40
SAUCE AU BLEU
ET AU XÉRÈS_____ 41
SAUCE TOMATE
AUX HERBES_____ 41
SAUCE FLAMBÉE
AU COGNAC_____ 41
SAUCE ITALIENNE_____ 42
SAUCE ÉPICÉE
AUX HERBES_____ 42
SAUCE AUX CÂPRES_____ 42
SAUCE AUX CHAMPIGNONS
ET AU PORTO_____ 43
SAUCE VENAISON_____ 43
CRÈME À LA MENTHE_____ 43
SAUCE AU BLEU_____ 44

CRÈME AU CURRY_____ 36
SAUCE À L'OIGNON_____ 36
SAUCE À LA CRÈME
POUR VIANDE POÊLÉE____ 36
QUATRE PARFUMS POUR
SAUCE À LA CRÈME_____ 37
STEAK AU PORTO_____ 37
SAUCE FRUITÉE_____ 37
JUS DE VIANDE
À L'ANCIENNE _____ 38
SAUCE AU POIVRON
ET AU PAPRIKA_____ 38
CRÈME AUX BAIES ROSES 38

SAUCE AU RAIFORT_____ 44
SAUCE À L'ANETH_____ 44
SAUCE BÉARNAISE_____ 45
RAGOÛT DU CHASSEUR___ 45
BEURRE PERSILLÉ_____ 45
BEURRE AU RAIFORT_____ 45
SAUCE À L'AIL_____ 46
SAUCE AU VIN BLANC
ET FINES HERBES_____ 46
SAUCE AU CIDRE_____ 46
SAUCE VERTE
AUX FINES HERBES_____ 48
SAUCE CAFÉ DE PARIS___ 48

CRÈME AU CURRY

1/4 d'oignon, 1 banane, 1 pomme, 2 morceaux de gingembre confit, 30 g de beurre, 1 à 2 cs de curry en poudre, 30 cl de crème liquide, sel et poivre.

Hachez oignon, banane, pomme et gingembre en petits morceaux.

Faites fondre l'oignon dans le beurre puis ajoutez le reste des ingrédients hachés.

Saupoudrez de curry et ajoutez la crème. Mélangez.

Laissez bouillonner à feu doux jusqu'à ce que la sauce épaississe. Salez et poivrez à votre goût.
Servez avec du porc poêlé ou grillé.

Pour 4 personnes

SAUCE À L'OIGNON

2 oignons, beurre, 50 cl de lait, 50 à 60 g (3 à 4 cs) de beurre manié (voir p. 13) et éventuellement 1/2 cube de bouillon.

Épluchez et hachez finement les oignons. Faites-les fondre doucement dans le beurre jusqu'à ce qu'ils soient dorés.

Ajoutez le lait et portez à ébullition.

Ajoutez le beurre manié tout en fouettant sans arrêt et laissez la sauce cuire 3 à 5 mn.
Ajoutez le bouillon cube si vous désirez une saveur plus corsée.
Indispensable avec du porc poêlé ou grillé ou des pommes de terre à l'eau.

Pour 4 personnes

SAUCE À LA CRÈME POUR VIANDE POÊLÉE

20 cl de crème liquide, 10 cl de bouillon ou d'eau. Faites sauter la viande à la poêle en prenant garde à ne pas brûler le jus.

Quand la viande est cuite, posez-la dans un plat de service et gardez au chaud.

Versez la crème et le bouillon ou l'eau directement dans la poêle.

Vous pouvez ajouter un des assaisonnements de la recette suivante ou utiliser vos épices favorites. Pour obtenir une sauce plus épaisse, incorporez en fouettant un mélange de 1 cs de farine avec un peu d'eau. Laissez cuire 3 à 5 mn pour ôter le goût de farine.

Pour 3 à 4 personnes

QUATRE PARFUMS POUR SAUCE À LA CRÈME

3 cs de purée de tomate, sauce soja — ou : 50 g de bleu de Bresse — ou : 200 g de champignons — ou : moutarde et estragon

Sauce tomate : ajoutez purée de tomate, sauce soja et poivre noir. Portez à ébullition. Convient aux côtes de porc.

Sauce au bleu : ajoutez le fromage et remuez pour qu'il fonde. Poivrez. Servez avec du filet de bœuf et d'agneau.

Sauce aux champignons : faites-les sauter dans un peu de beurre. Ajoutez crème, bouillon, un peu de sauce soja, salez et poivrez. Convient pour toutes les viandes poêlées.

Sauce moutarde : ajoutez 1 à 2 cs de moutarde et 1 cc d'estragon haché, salez et poivrez. Convient aux côtelettes et aux escalopes.

Pour 3 ou 4 personnes

STEAK AU PORTO

1,5 kg environ de steak tendre, en un seul morceau épais
25 cl de porto
5 à 10 cl de jus de cassis pur
10 cl de sauce soja
1 cc de thym en poudre
5 ou 6 baies de genièvre
5 ou 6 grains de poivre noir
2 ou 3 cubes de bouillon
2 gousses d'ail épluchées
1 gros oignon

Pour la sauce :
80 cl de jus de cuisson
20 cl de crème liquide
5 cs de farine

Prenez une casserole assez grande pour contenir la viande. Versez-y porto, jus de cassis et sauce soja. Ajoutez herbes, épices, cubes de bouillon, l'ail coupé en deux et l'oignon haché grossièrement. Portez à ébullition. Laissez bouillonner doucement dans le mélange de porto, sous couvercle, pendant environ 30 mn. Retournez la viande une fois pendant la cuisson. Retirez du feu et laissez reposer environ 20 mn avant de couper. Pour la sauce : versez le jus de cuisson dans une casserole et portez à ébullition. Mélangez au fouet crème et farine et versez dans la casserole. Laissez cuire 3 à 5 mn.

Pour 12 personnes

SAUCE FRUITÉE

2 boîtes de 210 g de champignons
1 oignon
1 cs de curry
beurre
1 cs de farine
10 cl de bouillon
1 boîte de 400 g de tomates pelées en morceaux
1 cs de sauce soja
3 cs de jus d'orange concentré surgelé
20 cl de crème fraîche
sel
poivre blanc
1 boîte de 425 g d'abricots

Égouttez les champignons et réservez le jus. Épluchez et hachez fin l'oignon. Faites dorer doucement dans un peu de beurre, champignons, oignons et curry. Saupoudrez de farine et mélangez. Ajoutez bouillon, jus des champignons, tomates, sauce soja, jus d'orange décongelé et crème fraîche en remuant sans arrêt. Portez à ébullition et laissez cuire environ 10 mn. Salez et poivrez à votre goût. Ajoutez les abricots avec un peu de leur jus. Si vous désirez une sauce lisse, réduisez-la en purée au robot.
Cette sauce est excellente pour le porc poêlé ou grillé.

Pour 8 personnes

15 g de beurre, 1 oignon, 1 à 2 cs de baies roses écrasées, 1 cs de moutarde douce, 10 cl de jus de viande ou de bouillon, 30 cl de crème liquide, sel et poivre.

Hachez fin l'oignon.

JUS DE VIANDE À L'ANCIENNE

jus de viande
crème liquide
beurre manié (voir p. 13)
sel et poivre

Lorsque vous poêlez un morceau de viande, ajoutez une petite quantité d'eau, de bouillon ou de marinade et laissez cuire le tout. Retournez la viande dans le jus puis ajoutez encore un peu de liquide. Après 3 ou 4 fois, la sauce est délicatement parfumée. Surveillez-la pour qu'elle ne brûle pas. Quand la viande est cuite, passez la sauce à travers une passoire et dégraissez-la. Allongez-la avec de l'eau ou du bouillon pour obtenir 5 cl par portion puis ajoutez 5 cl de crème par personne. Remettez le tout dans la casserole et laissez cuire quelques minutes puis épaississez avec précaution en ajoutant du beurre manié. Salez et poivrez. Vous pouvez, si vous l'aimez, ajouter de la gelée de groseille, de la muscade ou du bleu de Bresse pour parfumer différemment.

SAUCE AU POIVRON ET AU PAPRIKA

1 oignon
2 gousses d'ail épluchées
$^1/_2$ poivron rouge
beurre
25 cl de bouillon
1 cs de paprika
$^1/_2$ cc de cumin
$^1/_2$ cc de marjolaine
15 à 30 g (1 à 2 cs) de beurre manié (voir p. 13)
10 cl de crème liquide
10 cl de crème fraîche
sel

Coupez oignon, ail et poivron en petits morceaux. Faites revenir le tout dans le beurre pendant quelques minutes puis ajoutez bouillon, épices et marjolaine. Épaississez avec le beurre manié et laissez cuire 3 à 5 mn. Incorporez la crème liquide et salez à votre goût. On peut passer la sauce à travers une passoire ou la réduire en crème au robot. Servez chaque portion accompagnée d'une noix de crème fraîche. Convient très bien pour des boulettes de viande.

Pour 4 ou 5 personnes

Faites sauter dans le beurre l'oignon, sans le laisser dorer, et les baies roses.

Incorporez la moutarde, le jus de viande ou le bouillon et la crème.

Portez à ébullition en remuant sans arrêt. Salez, poivrez. On peut ajouter quelques baies roses pour garnir, avant de servir. Parfaite pour des côtelettes ou des boulettes de viande.

Pour 4 personnes

SAUCE À L'ORANGE

20 cl de crème liquide, 1 cube de bouillon (délicieux avec du bouillon de légumes), 4 cs de jus d'orange concentré surgelé, décongelé.

Versez la crème dans une casserole et portez à ébullition.

Faites dissoudre le cube de bouillon dans la crème.

Ajoutez le jus d'orange et laissez cuire le tout à feu doux 2 à 3 mn, en remuant souvent. Servez avec du porc poêlé ou grillé.

Pour 4 personnes

SAUCE AU POIVRE NOIR

$^1/_2$ oignon, 1 cs de poivre noir en grains écrasés, beurre, 5 cl d'eau, 20 cl de crème liquide, 1 à 2 cc de jus de citron, sel.
Faites cuire la viande de votre choix, retirez-la de la poêle et réservez.

Hachez fin l'oignon, faites-le dorer dans le beurre avec le poivre pour l'attendrir.

Ajoutez l'eau et portez le tout à ébullition.

Incorporez la crème et laissez la sauce cuire jusqu'à ce qu'elle épaississe. Ajoutez le jus de citron et salez. Réchauffez la viande dans la sauce.

Pour 3 à 4 personnes

SAUCE AU VINAIGRE DE XÉRÈS

4 tournedos, 3 cs de vinaigre de xérès, 10 cl de bouillon de viande, 20 cl de crème liquide, 30 g de beurre manié (voir p. 13), sel, poivre.
Faites cuire les tournedos aux $^3/_4$.

Versez vinaigre, bouillon et crème dans la poêle, cuire à feu doux 4 à 5 mn.

Posez la viande sur une assiette chaude, couvrez avec du papier d'aluminium.

Incorporez au fouet le beurre manié dans la sauce. Laissez cuire 3 mn. Salez et poivrez à votre goût.

Si vous désirez une sauce lisse, passez-la à travers une passoire.
Versez sur la viande.

Pour 4 personnes

SAUCE À LA MOUTARDE

1 oignon haché fin
30 g de beurre
20 cl de vin blanc sec
3 cs de moutarde
30 cl de crème liquide
sel et poivre frais moulu

Faites sauter l'oignon dans le beurre sans le laisser dorer. Ajouter le vin et laissez bouillir jusqu'à ce que presque tout le liquide soit évaporé. Incorporez la moutarde et la crème. Laissez bouillir pour épaissir la sauce puis salez et poivrez à votre goût.
Servez avec de la viande poêlée ou grillée.

Pour 4 personnes

SAUCE AU ROMARIN

10 cl de jus de viande ou d'eau
un brin de romarin
30 cl de crème liquide ou de crème épaisse
sel et poivre frais moulu
2 cs de persil haché

Lardez la viande de votre choix avec un peu de romarin. Faites cuire la viande à la poêle, retirez-la et gardez-la au chaud. Faites bouillir pendant quelques minutes le jus de viande ou l'eau dans la poêle, en ajoutant un peu de romarin puis ajoutez la crème liquide ou épaisse. Laissez réduire le mélange pour l'épaissir. Salez et poivrez selon votre goût et ajoutez le persil.
Une sauce parfaite pour de la viande poêlée.

Pour 4 personnes

SAUCE AUX CHAMPIGNONS

50 g de champignons hachés
30 g de morilles séchées, trempées dans l'eau pendant 20 mn
3 cs d'échalote hachée fin
30 g de beurre
5 cl de porto blanc
30 cl de crème liquide
2 feuilles de chou frisé
sel et poivre frais moulu

Faites dorer les champignons et l'échalote dans le beurre sans les laisser brunir. Ajoutez le porto et chauffez. Incorporez la crème et laissez cuire quelques minutes. Retirez la côte des feuilles de chou et coupez-les en larges lanières que vous ajouterez au moment de servir. Portez à nouveau la sauce à ébullition, salez et poivrez.
Servez avec la viande poêlée ou grillée, en particulier de l'agneau.

Pour 3 ou 4 personnes

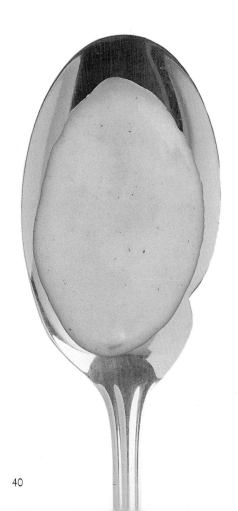
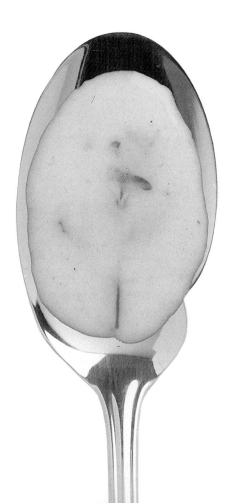
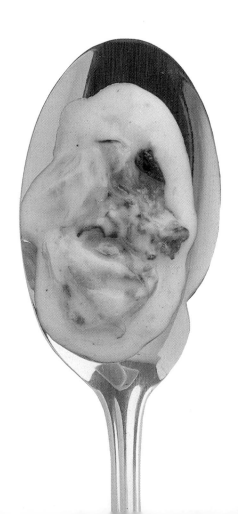

SAUCE AU BLEU
ET AU XÉRÈS

1 oignon haché fin
30 g de beurre
50 g de bleu de Bresse
1 cs de moutarde
10 cl de xérès mi-sec
30 cl de crème liquide
sel et poivre

Faites sauter l'oignon dans le beurre sans le faire dorer. Émiettez presque tout le bleu dans le mélange puis ajoutez la moutarde et le xérès. Mélangez bien. Portez à ébullition et ajoutez la crème. Laissez cuire encore un peu puis salez et poivrez à votre goût. Émiettez le reste du fromage dans la sauce au moment de servir.
Délicieuse avec de la viande poêlée ou grillée, en particulier du foie.

Pour 4 à 6 personnes

SAUCE TOMATE AUX HERBES

200 g de beurre
1 cs de thym frais
1 cs de sauge fraîche
1 cs d'estragon frais
1 gousse d'ail épluchée
2 cs de purée de tomate
10 à 15 cl de bouillon, de mouton
de préférence
sel et poivre frais moulu

Mettez beurre, thym, sauge, estragon, ail et purée de tomate dans le bol d'un robot et réduisez en purée. Portez le bouillon à ébullition puis baissez le feu et ajoutez le mélange précédent peu à peu. Fouettez sans arrêt et ne laissez pas la sauce bouillir. Salez et poivrez. Passez la sauce si vous le désirez.
Se marie très bien avec l'agneau.

Pour 4 à 6 personnes

SAUCE FLAMBÉE
AU COGNAC

10 cl de crème liquide
2 cs de cognac
2 cs de moutarde
1 cc de jus de citron
sel et poivre frais moulu
du jus de viande si possible

Fouettez la crème. Versez le cognac dans une casserole chauffée et faites-le flamber en gardant un couvercle sous la main pour étouffer les flammes si elles sont trop hautes. Quand le cognac a cessé de flamber, ajoutez la crème fouettée puis la moutarde et mélangez bien. Ajoutez le jus de citron, sel et poivre selon votre goût. Si vous avez du jus de viande, versez-le alors dans la sauce et réchauffez le mélange à grand feu pendant 1 à 2 mn.
Convient bien aux viande poêlées ou grillées, en particulier aux tournedos.

Pour 2 personnes

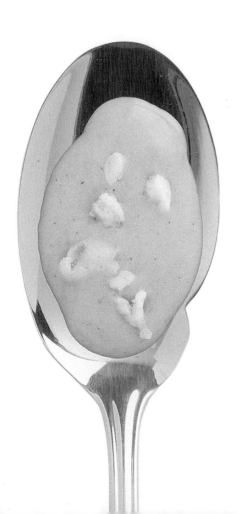

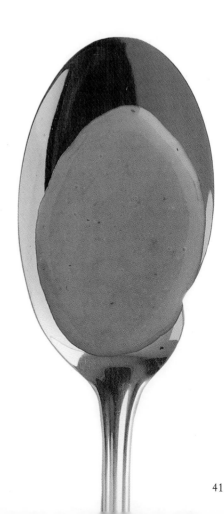

SAUCE ITALIENNE

1 poireau, 1 boîte de 400 g de tomage pelées, 20 cl de crème liquide, 2 cs de purée de tomate, 1 gousse d'ail pressée, 1 cc d'origan séché, sel, poivre blanc, le jus d'½ citron.

Émincez le poireau et faites-le cuire à feu doux dans le beurre.

Égouttez et écrasez les tomates et mettez-les dans la casserole.

Ajoutez crème, purée de tomate, ail, origan, assaisonnement et jus de citron. Mélangez bien et laissez cuire pendant quelques minutes. Cette sauce est idéale pour « réveiller » tous les plats de porc.

Pour 6 personnes

SAUCE ÉPICÉE AUX HERBES

50 g de beurre, 3 cs de farine, 30 cl de bouillon de viande, 20 cl de crème liquide, 4 cs de persil haché fin, 1 cc de cerfeuil en poudre, 1 cc d'estragon en poudre, sel et poivre, sauce soja.

Mettez la farine dans le beurre fondu, mélangez intimement. Cuire 1 à 2 mn.

Incorporez le bouillon et la crème peu à peu, puis laissez cuire encore environ 5 mn.

Ajoutez persil, cerfeuil et estragon. Ajoutez sel, poivre et sauce soja selon votre goût. Très bonne sauce pour la viande et le poulet poêlés ou grillés.

Pour 4 à 6 personnes

SAUCE AUX CÂPRES

30 cl de jus de viande ou de bouillon de viande, 10 cl de crème liquide ou épaisse, 50 à 60 g (3 à 4 cs) de beurre manié (voir p. 13), 1 sardine à l'huile épluchée et écrasée, 2 cs de câpres.

Portez à ébullition le bouillon mélangé à la crème, dans une casserole.

Incorporez le beurre manié au fouet et laissez cuire 3 à 5 mn.

Incorporez la sardine écrasée et les câpres puis chauffez le tout. Se marie bien avec la viande rôtie et les boulettes de viande.

Pour 4 à 6 personnes

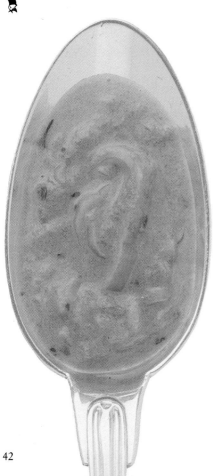

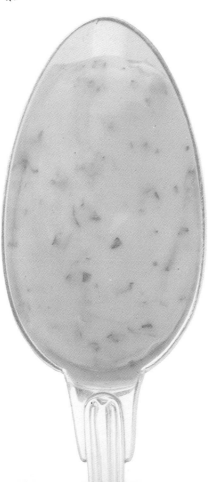

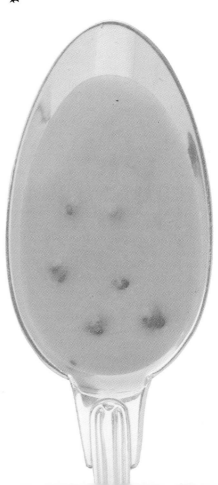

SAUCE AUX CHAMPIGNONS ET AU PORTO

2 échalotes, 200 g de champignons, beurre, 1 à 2 cs de porto rouge, 10 cl de bouillon, 20 cl de crème liquide ou épaisse, sel et poivre

Épluchez et hachez fin les échalotes, émincez les champignons.

Faites fondre doucement les échalotes, dans le beurre sans les dorer. Ajoutez les champignons.

Ajoutez le vin et laissez la sauce cuire pendant quelques minutes.

Ajoutez le bouillon et la crème liquide ou épaisse et laissez cuire encore 5 mn. Salez et poivrez à votre goût.
Servez avec de la viande poêlée ou grillée.

Pour 3 ou 4 personnes

SAUCE VENAISON

30 cl de jus de cuisson de lièvre ou autre gibier
ou de bouillon de gibier
30 cl de crème liquide
sel
poivre blanc
8 à 10 baies de genièvre
2 à 3 cs de gelée de groseilles
50 à 60 g (3 à 4 cs) de beurre manié (voir p. 13)

Mélangez le jus de cuisson ou le bouillon avec la crème dans une casserole. Laissez cuire sans couvercle 5 à 10 mn. Ajoutez sel, poivre blanc, baies de genièvre et gelée de groseilles selon votre goût. Incorporez le beurre manié au fouet par petits morceaux. Laissez cuire à feu moyen 3 à 5 mn.
Excellente avec du lièvre et tout gibier.

Pour 6 personnes

CRÈME À LA MENTHE

50 g de beurre
3 cs de farine
50 cl de lait
1 cs de menthe séchée ou 2 à 3 cs de menthe fraîche hachée
1 cc de sel
$1/4$ de cc de poivre blanc

Faites fondre le beurre. Ajoutez la farine, mélangez et laissez cuire 1 à 2 mn en remuant sans arrêt. Ajoutez peu à peu le lait, tout en fouettant. Laissez cuire 3 à 5 mn. Saupoudrez de menthe. Salez et poivrez.
Servez avec de l'agneau, rôti, grillé ou poêlé.

Pour 4 à 6 personnes

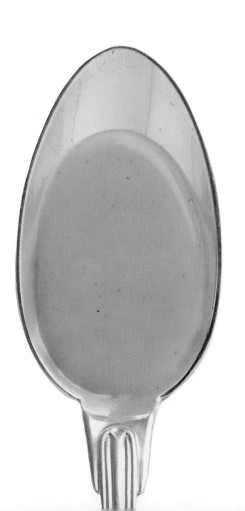

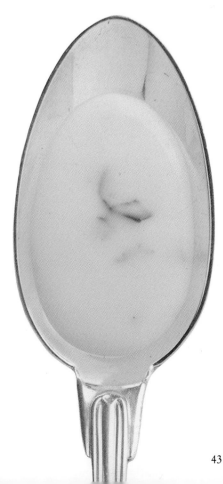

SAUCE AU BLEU

30 g de beurre, 2 cs de farine, 50 cl de lait, 50 g de bleu de Bresse, ¹/₂ cc de sel, ¹/₄ de cc de poivre blanc, 2 cc de crème liquide ou épaisse.

Faites fondre le beurre, ajoutez la farine et laissez cuire 1 à 2 mn.

Ajoutez peu à peu le lait, en fouettant. Portez à ébullition, cuire 5 mn.

Émiettez le bleu dans la sauce, salez et poivrez à votre goût.

Remuez pour faire fondre le fromage puis ajoutez la crème liquide ou épaisse. Servez avec de la viande poêlée ou grillée, spécialement avec du bœuf.

Pour 4 à 5 personnes

SAUCE AU RAIFORT

20 cl de bouillon de viande ou de jus de cuisson, 30 cl de lait, 50 à 60 g (3 à 4 cs) de beurre manié (voir p. 13), 2 cs de raifort (ou radis noir) râpé, quelques gouttes de vinaigre, ¹/₂ cc de sucre.

Versez le bouillon et le lait dans une casserole et portez à ébullition.

Ajoutez le beurre manié en fouettant. Laissez cuire la sauce 3 à 5 mn.

Ajoutez le raifort, puis le vinaigre et le sucre. Parfaite pour toutes les viandes rôties.

Pour 4 personnes

SAUCE À L'ANETH

50 g de beurre, 3 cs de farine, ¹/₄ de cc de poivre blanc, 50 cl de jus de cuisson de viande ou de bouillon, ¹/₂ cc de sucre, ¹/₂ cs de vinaigre blanc, sel, 3 cs d'aneth frais ciselé, 50 cl de crème liquide.

Faites fondre le beurre, ajoutez farine et poivre en remuant. Laissez cuire 1 à 2 mn.

Ajoutez peu à peu le jus de cuisson ou le bouillon tout en fouettant.

Laissez cuire 5 à 10 mn. Ajoutez le sucre, le vinaigre et salez éventuellement.

Incorporez l'aneth et la crème. Servez avec de l'agneau, du veau ou du porc. Très bonne aussi avec du poulet.

Pour 4 personnes

SAUCE BÉARNAISE

150 g de beurre, 1 cs d'échalote ou d'oignon ciselés, 4 grains de poivre blanc écrasés, 2 cs de vinaigre, 4 cs d'eau, 2 jaunes d'œuf, 2 cs de persil ciselé, 1 à 2 cs d'estragon frais ciselé (ou 1 à 2 cc d'estragon séché).

Faites fondre le beurre dans une casserole et réservez.

Faites bouillir dans une casserole 2 cs d'eau avec oignon, poivre, vinaigre.

Quand le liquide est presque évaporé ajoutez 2 cs d'eau. On peut alors éventuellement passer la sauce. Posez la casserole dans un bain-marie d'eau très chaude mais non bouillante. Ajoutez les jaunes et fouettez doucement.

Incorporez au fouet le beurre fondu, petit à petit. Ajoutez persil et estragon à votre goût. Délicieux avec du filet de bœuf rôti.

Pour 4 à 6 personnes

RAGOÛT DU CHASSEUR

10 cl de bouillon, 10 cl de vin rouge, 2 cs de sauce soja, 8 à 10 baies de genièvre, $^1/_2$ cc de quatre-épices, $^1/_4$ de cc de poivre noir, $^1/_4$ de cc de clous de girofle écrasés, 1 feuille de laurier, 400 g de bœuf ou de porc tendre en lanières, 20 cl de crème liquide.

Mettez bouillon, vin, sauce soja, épices dans une casserole et portez à ébullition.

Ajoutez les lanières de viande. Laissez cuire à feu doux, couvert, 30 à 45 mn.

Ajoutez la crème et laissez le mélange cuire encore 10 mn.
Servez avec du riz, des pommes de terre ou des pâtes.

Pour 4 personnes

BEURRE PERSILLÉ

6 cs de persil frais, 100 g de beurre à température ambiante, quelques gouttes de jus de citron, $^1/_2$ à 1 cc de poivre blanc frais moulu, quelques gouttes de Worcester sauce.

Ciselez le persil, mélangez-le intimement avec le beurre.

Ajoutez jus de citron, poivre et Worcester sauce selon votre goût.

BEURRE AU RAIFORT

100 g de beurre à température ambiante, 1 à 2 cs de raifort (ou radis noir) râpé fin, quelques gouttes de vinaigre, $^1/_2$ cc de sucre.

Mélangez tous les ingrédients et servez à température ambiante. Idéal pour le bœuf.

Les beurres parfumés aux herbes sont meilleurs quand ils sont servis à température ambiante, pour qu'ils puissent fondre aussitôt sur les plats chauds.

Pour 5 ou 6 personnes

SAUCE À L'AIL

300 g d'ail (6 à 7 têtes d'ail)
20 cl de crème liquide
20 cl de lait
20 cl de jus de cuisson d'agneau ou de bouillon
15 à 30 g (1 à 2 cs) de beurre manié
(voir p. 13), éventuellement
1 cc de sel
le jus d'½ citron

Épluchez les gousses d'ail et faites-les cuire dans le lait avec la crème, à feu doux et à couvert, jusqu'à ce qu'elles s'écrasent (15 à 30 mn). Mixez le tout et remettez dans la casserole. Ajoutez le bouillon et le beurre manié, éventuellement. Laissez cuire 3 à 5 mn. Ajoutez sel et jus de citron selon goût. Cette sauce est extraordinaire avec la viande poêlée ou grillée, et surtout l'agneau.

Pour 6 à 8 personnes

SAUCE AU VIN BLANC ET FINES HERBES

1 oignon haché fin
50 g de beurre
1 cc de persil ciselé
1 cc de cerfeuil, frais si possible
1 cc d'estragon, frais si possible
1 cc de ciboulette ciselée
1 cs de purée de tomate
10 cl de bouillon de viande
10 cl de vin blanc sec
30 cl de crème liquide
50 g de beurre manié (voir p. 13)
sel et poivre frais moulu
100 g de concombre haché fin

Faites fondre l'oignon dans 15 g de beurre. Ajoutez les herbes et la purée de tomate, puis le bouillon et le vin et portez le tout à ébullition. Ajoutez la crème et laissez le mélange cuire 10 à 15 mn. Incorporez le beurre manié au fouet, petit à petit. Laissez la sauce cuire encore quelques minutes puis salez et poivrez. Ajoutez le concombre et réchauffez. Ajoutez le reste du beurre hors du feu et tournez jusqu'à ce que la sauce devienne luisante. Parfaite pour la viande poêlée ou grillée.

Pour 6 personnes

SAUCE AU CIDRE

4 morceaux de lapin
150 g de beurre
6 à 8 échalotes hachées fin
un brin de thym frais
sel et poivre frais moulu
5 cl de calvados
50 cl de cidre sec
3 pommes à cuire

Faites dorer le lapin de tous côtés dans le beurre, dans une cocotte couverte où l'on peut flamber. Ajoutez le thym, les échalotes et faites-les fondre à feu doux, à couvert, mais sans les dorer. Salez et poivrez. Arrosez de calvados et faites flamber. Quand les flammes sont éteintes ajoutez le cidre et laissez cuire à feu doux, sans couvercle, jusqu'à ce que la viande soit tendre, environ 40 mn, selon la taille des morceaux. Pendant ce temps, épluchez les pommes et coupez-les en quartiers. Faites-les cuire doucement dans un peu de beurre, à la poêle. Quand le lapin est cuit, posez-le sur un plat de service et passez la sauce dans une casserole. Incorporez le beurre, morceau par morceau puis réchauffez le tout. Ajoutez les pommes et versez la sauce sur la viande.

Pour 4 personnes

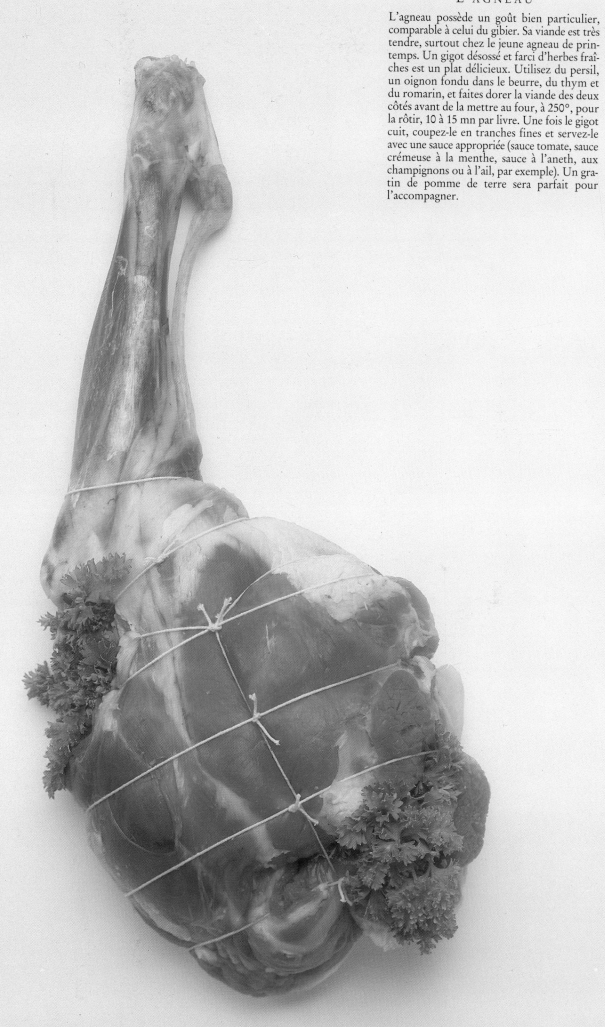

L'AGNEAU

L'agneau possède un goût bien particulier, comparable à celui du gibier. Sa viande est très tendre, surtout chez le jeune agneau de printemps. Un gigot désossé et farci d'herbes fraîches est un plat délicieux. Utilisez du persil, un oignon fondu dans le beurre, du thym et du romarin, et faites dorer la viande des deux côtés avant de la mettre au four, à 250°, pour la rôtir, 10 à 15 mn par livre. Une fois le gigot cuit, coupez-le en tranches fines et servez-le avec une sauce appropriée (sauce tomate, sauce crémeuse à la menthe, sauce à l'aneth, aux champignons ou à l'ail, par exemple). Un gratin de pomme de terre sera parfait pour l'accompagner.

SAUCE VERTE AUX FINES HERBES

30 g de ciboulette
30 g de persil frais
15 g d'estragon frais
80 g d'épinards
400 g de beurre à température ambiante
15 cl de bouillon de viande
$^{1}/_{2}$ cc d'anis en grains
$^{1}/_{2}$ cc de fenouil en grains
sel et poivre frais moulu

Mettez ciboulette, persil, estragon et épinards dans le bol d'un robot. Ajoutez le beurre et mixez. Portez à ébullition le bouillon avec les grains d'anis et de fenouil jusqu'à ce qu'il réduise de moitié. Passez-le dans une casserole propre puis incorporez le beurre d'herbe au fouet, peu à peu. Ne laissez pas le mélange bouillir. Salez et poivrez à votre goût. Servez avec de la viande poêlée ou grillée, de veau en particulier.

Pour 6 à 8 personnes

SAUCE CAFÉ DE PARIS

3 sardines
1 cs de ketchup
1 $^{1}/_{2}$ cc de moutarde de Dijon
1 cs de câpres
2 échalotes
6 cs de persil haché
3 cs de ciboulette ciselée
1 cs d'aneth haché fin
1 cc de thym frais
1 cc d'estragon séché
1 cc de romarin frais
1 gousse d'ail pelée
1 cc de cognac
1 cc de madère mi-sec
$^{1}/_{2}$ cc de Worcester sauce
3 grains de poivre blanc
$^{1}/_{2}$ cc de paprika
$^{1}/_{4}$ de poivron vert
$^{1}/_{2}$ cc de curry
une pincée de poivre de Cayenne
le jus d'$^{1}/_{4}$ de citron
le zeste râpé d'$^{1}/_{8}$ de citron
300 g de beurre à température ambiante

Mettez tous les ingrédients, excepté le beurre, dans le bol d'un robot et mixez jusqu'à obtention d'un mélange lisse. S'il est trop épais, ajoutez quelques gouttes d'huile de sardine ou d'une autre huile. Laissez le mélange reposer pendant une journée. Le jour suivant, incorporez le beurre dans le mélange d'herbes. Servez ce beurre d'herbe tel quel ou placez-le dans un papier sulfurisé et roulez-le en forme de saucisse que vous mettrez dans le réfrigérateur, puis coupez le nombre de portions désirées.
Servez avec des viandes rôties ou grillées.

Pour 15 à 20 personnes

LE VEAU

C'est en été que l'on trouve le meilleur veau. Néanmoins la viande des très jeunes animaux possède une saveur assez fade. Pour la relever, ajoutez un bouquet d'herbes au rôti pendant la cuisson. Enroulez dans une feuille de céleri ou de poireau, du thym, du romarin, de la menthe, de l'estragon et du persil, et liez le tout avec un brin de ficelle. Les sauces aux champignons ou aux herbes (sauce à l'aneth et sauce verte, par exemple) sont parfaites pour les plats de veau.

LES SAUCES, PARURE ET HONNEUR DE LA CUISINE FRANÇAISE

Telle était la formule de Curnonsky, « le prince des gastronomes ». La cuisine française, dont les racines remontent au XVIe siècle et qui, dès le XVIIe avait établi sa renommée, est universellement célèbre et souvent considérée comme l'inspiratrice de l'art culinaire. Son influence sur la gastronomie et la cuisine du monde entier est immense et repose en grande partie sur la qualité de ses sauces. Il en existe des centaines, dont beaucoup sont devenues des classiques.

Marie-Antoine Carême (1784-1833), qui fut chef de bouche de Talleyrand, fondateur de la grande cuisine, améliora nombre de ces classiques. Il comprit que les sauces constituaient un élément essentiel de l'identité culinaire de la France et s'intéressa à la transformation alors en cours : d'hétérogènes et liquides elles devenaient lisses et veloutées. Il les classa en quatre familles, à partir de quatre sauces de base auxquelles on pouvait ajouter différents parfums et assaisonnements.

Son successeur, Auguste Escoffier (1846-1935), reprit ce système et le compléta pour obtenir cinq sauces « mères » : espagnole, velouté, béchamel, tomate et hollandaise. Les règles essentielles qu'il établit sont encore suivies aujourd'hui. C'est grâce à lui essentiellement que la cuisine française se répandit à travers le monde, du fait surtout de sa collaboration avec le célèbre hôtelier international, César Ritz.

La France n'a pas, bien sûr, le monopole des bonnes sauces. L'Italie par exemple, en possède toute une gamme, complément important de sa cuisine raffinée. L'accent est porté sur les purées de légumes et surtout de tomates, ainsi que sur l'huile d'olive et les mélanges à base de vin. En Angleterre, au XVIIIe siècle, Hannah Glasse se rendit célèbre par ses livres de cuisine, sa sauce vedette étant à base de jus de cuisson de viande, obtenu en faisant dorer la viande avec carottes, oignons, herbes et épices, et cuire le tout dans l'eau jusqu'à en extraire tous les sucs. La cuisine anglaise moderne accorde toujours une grande importance aux sauces au jus de viande.

Une sauce peut rehausser un repas ou, au contraire, le gâcher. Dans les grands restaurants, c'est le saucier qui en est responsable. Il est à rang égal avec le chef et possède une longue expérience et un grand art des sauces. Son rôle est primordial, les qualités et la personnalité d'une cuisine se révélant dans une bonne sauce, où s'expriment la créativité et l'habileté du cuisinier.

Cependant, seul un palais expérimenté saura prendre les bonnes décisions et ceci ne s'apprend pas seulement dans les livres, mais grâce à une longue pratique.

On doit goûter une sauce à différentes étapes de sa confection mais plus spécialement avant et pendant l'ajout de l'assaisonnement et des parfums variés. On peut aussi bien la gâcher par trop de sel (voir les conseils p. 100) que par trop de sucre pour les desserts. L'acidité de certaines sauces, due à la présence de vin, de vinaigre ou de jus de citron doit être habilement contrebalancée, de même que la fadeur des sauces à base de matière grasse, comme la béarnaise, la hollandaise ou la mayonnaise, sera relevée par une saveur légèrement piquante. Alain Chapel, chef renommé, refuse de mettre sel et poivre sur les tables de son restaurant de Lyon, car il estime que ses plats parfaitement étudiés ne nécessitent aucun assaisonnement supplémentaire.

Une bonne sauce maison est de loin supérieure à toutes les préparations du commerce et vous n'avez pas à craindre de vous tromper. Vos erreurs vous permettront de progresser et peu à peu, vous prendrez de l'assurance et développerez votre talent « saucier ».

LES VOLAILLES ET LES GIBIERS

SAUCE AUX FOIES
DE VOLAILLE————————— 52
SAUCE À L'ANANAS————— 52
SAUCE RAIFORT
À LA POMME———————— 52
SAUCE CURRY
À LA CRÈME————————— 53
POULET AU CURRY————— 53
SAUCE AU JUS
POUR LE GIBIER—————— 53
SAUCE À L'ESTRAGON—— 54
SAUCE SUPRÊME—————— 54
SAUCE AUX CERISES———— 54
SAUCE AU CITRON————— 55
JUS PERSILLÉ————————— 55
BOUILLON DE POULET
AUX GROSEILLES—————— 55
SAUCE AU CITRON VERT— 57
SAUCE CHAMPIGNONS
À LA CRÈME————————— 57
SAUCE AUX PRUNEAUX—— 57

SAUCE AUX FOIES DE VOLAILLE

1 gousse d'ail écrasée, 2 cs de jus d'orange concentré surgelé, 6 cs de persil ciselé, $^1/_4$ de cc de poivre noir, 20 cl de crème liquide, 400 g de foies de poulet, beurre, $^1/_2$ cc de sel.

Mélangez ail, jus d'orange décongelé, persil, poivre et crème dans une casserole. Laissez cuire 2 à 3 mn.

Coupez les foies en morceaux et faites-les dorer doucement dans du beurre, 5 mn.

Ajoutez les foies à la sauce et réchauffez. Salez selon votre goût.
Servez avec du riz ou des pommes de terre.

Pour 4 personnes

SAUCE À L'ANANAS

$^1/_2$ boîte d'ananas en morceaux (environ 325 g), 20 cl de crème aigre, 1 à 2 cc de moutarde

Égouttez soigneusement l'ananas.

Mélangez crème et moutarde directement dans le plat de service.

Incorporez l'ananas.
Bonne sauce pour la salade de poulet ou le poulet froid.

Pour 4 personnes

SAUCE RAIFORT À LA POMME

20 cl de compote de pommes, 20 cl de crème aigre, le jus d'$^1/_2$ citron, 2 à 3 cs de raifort (ou de radis noir) râpé.

Mélangez la compote de pommes et la crème aigre.

Ajoutez du jus de citron à votre goût.

Ajoutez le raifort (ou radis noir) râpé et mélangez.
Servez avec du poulet ou de la dinde, chaud ou froid.

Pour 4 personnes

SAUCE CURRY À LA CRÈME

1 gousse d'ail pelée, hachée fin, ¹/₂ cs de curry, 15 à 30 g de beurre, 1 cs de ketchup, 20 cl de crème fraîche, 15 cl de crème liquide.

Faites dorer l'ail et le curry dans le beurre.

Retirez la casserole du feu et incorporez le ketchup.

Ajoutez la crème fraîche.

Fouettez la crème liquide et incorporez-la au mélange précédent.
Servez avec du poulet froid.

Pour 6 personnes

POULET AU CURRY

environ 100 g de noix de coco râpée, séchée
1 poulet d'environ 1 kg
5 gousses d'ail pelées et hachées
1 gros oignon épluché et haché
1 grosse pomme de terre, épluchée
100 g de beurre
1 bâton de cannelle
1 cc de curry
1 poivron rouge
poivre de Cayenne

Mettez la noix de coco dans un bol avec assez d'eau bouillante pour la recouvrir, laissez infuser. Coupez le poulet en 8 à 10 morceaux. Coupez la pomme de terre en morceaux. Faites dorer ail et oignon avec la canelle et le curry dans la moitié du beurre, dans une grande casserole. Ajoutez la pomme de terre et le poulet ainsi que 20 cl d'eau. Portez à ébullition, couvrez et laissez cuire 20 mn. Ajouter le poivron épluché et coupé en gros morceaux. Laissez cuire encore 20 mn. Quand le poulet est cuit, le mélange doit être assez épais. Passez la noix de coco pour recueillir le liquide que vous incorporez dans le mélange de la casserole. Ajoutez peu à peu le reste du beurre, en remuant sans arrêt et tout en laissant bouillir. Ajoutez le poivre de Cayenne. Servez avec du riz nature, et éventuellement avec différents bols de crème aigre, chutney à la mangue, concombre et banane en tranches, poivron émincé, cacahuètes et noix de coco en poudre.

Pour 4 personnes

SAUCE AU JUS POUR LE GIBIER

du gibier à plumes (1 oiseau)
10 cl de bouillon
¹/₂ feuille de laurier
¹/₂ cc de thym
30 cl de crème liquide
2 cc de cognac

Faites cuire l'oiseau à la poêle pour qu'il soit juste à point et laissez-le reposer 5 à 10 mn avant de le désosser complètement excepté les cuisses. Retirez la peau des suprêmes (les blancs) et gardez au chaud avec les cuisses. Jetez l'os situé près du croupion, dont le goût est amer. Tous les autres os et le reste de la peau vont cuire dans le bouillon avec les épices. Ajoutez la crème et laissez le tout bouillir jusqu'à ce que le mélange épaississe. Passez à travers une passoire, en pressant pour recueillir le maximum de sauce. Ajoutez quelques gouttes de cognac selon votre goût.

Pour 4 personnes

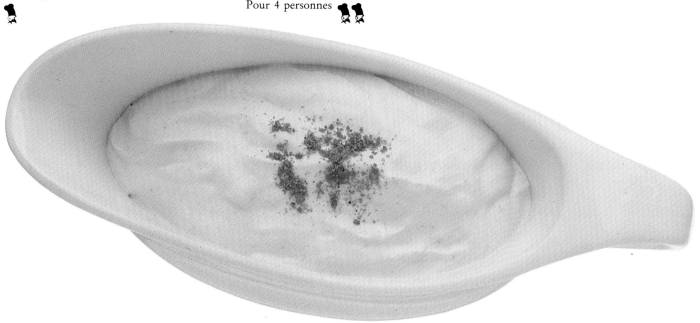

SAUCE À L'ESTRAGON

40 cl de bouillon de poulet
90 g (6 cs) de beurre manié (voir p. 13)
2 jaunes d'œuf
20 cl de crème fraîche
30 g de beurre à température ambiante
2 cs d'estragon haché frais ou
1 cc d'estragon séché
sel et poivre

Passez le bouillon dans une casserole et dégraissez-le. Portez à ébullition et laissez bouillir pour le réduire de moitié. Épaississez avec du beurre manié jusqu'à la consistance désirée. Mélangez jaunes d'œuf et crème fraîche dans une jatte. Versez délicatement la sauce chaude dans la jatte tout en fouettant puis remettez la sauce dans la casserole et incorporez le beurre au fouet sur feu doux. Ne laissez pas bouillir. Ajoutez estragon, sel et poivre selon votre goût.
Servez avec des morceaux de poulet.

Pour 4 à 6 personnes

SAUCE SUPRÊME

40 cl de bouillon de poulet
du beurre manié (voir p. 13)
2 jaunes d'œuf
20 cl de crème fraîche
poivre de Cayenne
50 g de beurre

Procédez de la même manière que pour la sauce à l'estragon. Ajoutez des légumes dans la confection du bouillon et si vous l'aimez, une gousse d'ail. Pour une saveur plus corsée, ajoutez un bouquet d'herbes composé de poireau, thym, feuille de laurier et persil.
Servez avec des morceaux de poulet.

Pour 4 à 6 personnes

SAUCE AUX CERISES

1 boîte de 210 g de cerises en conserve
30 g de beurre
50 cl de bouillon de viande
100 g de beurre
sel et poivre blanc frais moulu

Égouttez les cerises et réservez le jus. Faites sauter les cerises à la poêle, à feu doux, dans le beurre. Ajoutez le bouillon et laissez cuire environ 10 mn. Passez le tout au moulin à légumes ou au robot. Remettez dans la casserole et portez à nouveau à ébullition puis incorporez le beurre au fouet, morceau par morceau. Ajoutez éventuellement le jus des cerises. Salez et poivrez à votre goût et réchauffez doucement le mélange. Vous pouvez aussi faire cette sauce avec des cerises fraîches, mais dans ce cas, ajoutez 1 cc de sucre en poudre.
Servez avec de la volaille poêlée ou grillée.

Pour 6 personnes

SAUCE AU CITRON

30 g de beurre
2 cs de farine
40 cl de bouillon de poulet
le jus d'¹/₂ citron
20 cl de crème liquide
30 g de beurre
sel et poivre frais moulu

Faites fondre le beurre, ajoutez la farine et laissez cuire 1 à 2 mn. Ajoutez peu à peu le bouillon de poulet et portez à ébullition. Incorporez le jus de citron et la crème et laissez cuire encore un peu le tout. Incorporez le beurre au fouet, morceau par morceau. Passez la sauce et ajoutez sel et poivre selon votre goût.
Délicieuse avec le poulet rôti.

Pour 4 personnes

POULET AU JUS PERSILLÉ

20 cl d'eau, 100 g de beurre à température ambiante, 6 cs de persil ciselé, poivre noir. Faites cuire à la poêle quelques morceaux de poulet jusqu'à ce qu'ils soient juste à point, retirez de la poêle et gardez au chaud.

Ajoutez l'eau dans la poêle et mélangez au fouet.

Passez ce mélange dans une casserole à fond épais et dégraissez complètement. Faites réduire à 10 cl.

Incorporez le beurre au fouet, morceau par morceau. Ajoutez le persil et poivrez selon votre goût.
Servez avec le poulet chaud.

Pour 4 personnes

BOUILLON DE POULET AUX GROSEILLES

1 poulet, 40 cl d'eau, 8 à 10 brins de persil, 1 échalote, 30 g de beurre manié (voir p. 13), 20 cl de crème liquide, gelée de groseilles. Faites rôtir le poulet, laissez reposer 5 à 10 mn et désossez-le en réservant les cuisses.

Faites bouillir les os dans l'eau avec persil, échalote hachée et éventuellement abats et cou. Laissez bouillir environ 10 mn.

Passez le bouillon dans une poêle et faites bouillir à feu vif pour réduire à environ 15 cl.

Incorporez le beurre manié au fouet, petit à petit, puis ajoutez la crème. Laissez cuire la sauce 3 à 5 mn. Ajoutez la gelée de groseilles selon votre goût.

Pour 4 à 6 personnes

LE POULET DE BRESSE

Il y a plus de 4 000 ans, en Inde, un poulet sauvage fut domestiqué par l'homme qui, bientôt, en répandit l'élevage dans le monde entier. Une des races descendant de ce poulet fut importée entre la Saône et le Jura, au pays de Bresse, dont elle adopta le nom. Plumes blanches et pattes bleues en sont les caractères distinctifs, ainsi que des blancs charnus. Sa saveur délicate, un léger goût sauvage, est due à un élevage très réglementé, le poulet étant laissé en liberté sur une pâture, et se nourrissant de la végétation variée qui pousse dans cette région au climat humide et au riche sol calcaire. Certains poulets sont par la suite engraissés au maïs et au sarrasin et deviennent de gros chapons très recherchés.

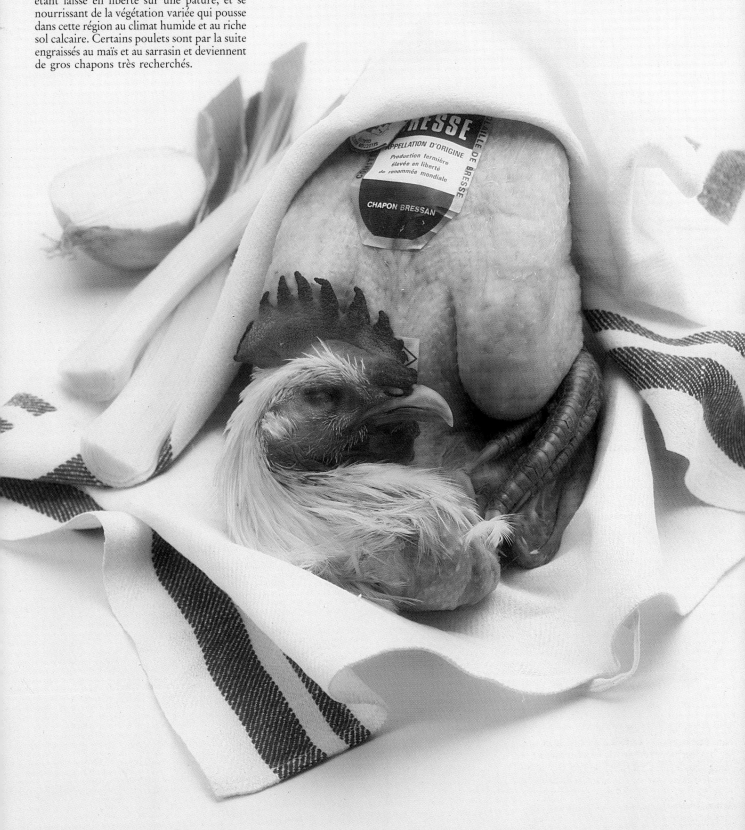

SAUCE AU CITRON VERT

50 cl de bouillon de poulet
le zeste et le jus de 2 citrons verts
50 g de beurre
sel et poivre frais moulu

Faites bouillir le bouillon pour le réduire de
moitié. Retirez le zeste des citrons verts avec
un couteau « économe », en ayant soin de ne
pas entamer le blanc. Coupez le zeste en très
fines lanières. Incorporez le beurre au fouet
dans le bouillon, morceau par morceau puis
ajoutez le jus de citron vert. Salez et poivrez
selon goût et décorez avec le zeste.
Délicieuse avec du canard.

Pour 4 personnes

SAUCE CHAMPIGNONS
À LA CRÈME

20 cl de bouillon de poulet
20 cl de crème liquide
50 g de beurre
250 g de champignons mélangés, morilles
et champignons des prés de préférence
1 cs d'échalote hachée fin
sel et poivre blanc frais moulu

Faites bouillir le bouillon avec la crème pour
le réduire de moitié. Incorporez le beurre. Faites revenir les champignons et l'échalote à la
poêle, sans matière grasse. Salez et poivrez.
Ajoutez les champignons à la sauce au
moment de servir. Salez et poivrez.
Parfaite avec de la volaille rôtie, poulet, pigeon
ou autres petits oiseaux.

Pour 4 personnes

SAUCE AUX PRUNEAUX

40 cl de bouillon de dinde
6 à 9 cl de vinaigre de vin rouge doux
10 pruneaux dénoyautés
$^1/_2$ à 1 piment rouge haché fin
60 g de beurre
sel et poivre frais moulu

Mettez bouillon, vinaigre, pruneaux et piment
dans une casserole, portez à ébullition et laissez bouillir pour réduire de moitié. Mettez la
sauce dans le bol d'un robot et mixez en ajoutant le beurre par petits morceaux. Salez et
poivrez à votre goût. Vous pouvez éventuellement réchauffer la sauce avant de servir mais
sans la laisser bouillir.
Parfaite avec de la dinde rôtie.

Pour 4 personnes

SAUCES POUR
LES POISSONS

SAUCE AUX PICKLES ___ 61
CRÈME AUX LÉGUMES ___ 61
RAIFORT À LA CRÈME ___ 62
BEURRE FONDU À L'ŒUF
ET AU RAIFORT ___ 62
SAUCE VERTE
AU FROMAGE BLANC ___ 62
CRÈME À L'AIL ___ 63
SAUCE RÉMOULADE ___ 63
SAUCE HOLLANDAISE ___ 63
SAUCE BLANCHE
À LA CRÈME ___ 64
QUATRE PARFUMS
POUR SAUCE BLANCHE ___ 64

CONTREPOINT POUR
POISSON ___ 59
CARRELET
AU VIN BLANC ___ 59
SAUCE À LA BISQUE
DE HOMARD ___ 59
SAUCE INDIENNE ___ 60
SAUCE TARTARE ___ 60
SAUCE AUX POMMES ___ 60
SAUCE VERTE ___ 61

JUS DE CITRON ___ 64
SAUCE TOMATE
AUX OLIVES ___ 65
SAUCE
AUX BAIES ROSES ___ 65
SAUCE À L'AIGRE-DOUX ___ 65
SOLE AU VIN BLANC ___ 66
BEURRE BLANC
À LA CRÈME ___ 66
SAUCE AU FROMAGE ___ 66

SAUCE AUX CREVETTES ___ 67
SAUCE SAFRAN ___ 67
SAUCE
À LA CIBOULETTE ___ 67
SAUCE AU BEURRE
ET À LA BIÈRE ___ 68
SAUCE
AU POIVRON ROUGE ___ 68
SAUCE AUX ŒUFS
DE LUMP ___ 68

CONTREPOINT POUR POISSON

700 g de filets de perche, beurre, 1 cc de sel, 20 cl de crème fraîche, 1 cs de farine, ¼ de cc de poivre noir, 10 cl de bouillon de poisson (ou court-bouillon), 1 cc de thym.

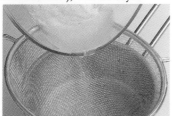

Placez les filets dans un plat à four, salez avec ½ cc de sel, couvrez de bouillon, faites cuire au four, à 200°, 20 à 25 mn. Passez le jus de cuisson.

Mélangez farine, le reste du sel, poivre et crème dans une casserole.

Portez à ébullition et ajoutez le jus de cuisson. Laissez cuire à feu moyen 5 à 10 mn. Ajoutez le thym si vous l'aimez, puis versez la sauce sur le poisson.

Pour 4 personnes

CARRELET AU VIN BLANC

700 g de filets de carrelet (ou limande), 6 cl de court-bouillon, 6 cl de vin blanc, 1 cc de sel, ¼ de cc de poivre blanc, 20 cl de crème fraîche.

Préchauffez le four à 220°. Roulez les filets et disposez-les dans un plat à four.

Mélangez bouillon de poisson, vin, sel, poivre et crème dans un bol.

Versez ce mélange sur le poisson, couvrez et faites cuire au four environ 25 mn. Servez avec des pommes de terre et des légumes.

Pour 4 personnes

SAUCE À LA BISQUE DE HOMARD

1 boîte de 30 cl de bisque de homard, 20 cl de crème liquide ou épaisse, 1 à 2 cs de cognac.

Versez la bisque de homard dans une casserole et ajoutez la crème liquide ou épaisse.

Portez à ébullition et laissez mijoter 2 à 3 mn.

Ajoutez le cognac.
Cette sauce délicieuse avec du poisson cuit à la vapeur, peut aussi être utilisée pour un gratin, mais il faut alors l'épaissir avec 50 à 60 g de beurre manié (voir p. 13).

Pour 6 personnes

SAUCE INDIENNE

1 poivron rouge, 1 cs de chutney à la mangue, 1 cs de ketchup, 20 cl de crème fraîche ou aigre, 1 cs de curry en poudre.

Mettez poivron, chutney et ketchup dans le bol d'un robot.

Ajoutez la crème fraîche ou aigre.

Épicez avec le curry et réduisez en crème lisse. Cette sauce convient parfaitement pour du poisson frit.

Pour 4 personnes

SAUCE TARTARE

20 cl de crème fraîche ou aigre, 6 cs de ciboulette grossièrement hachée, 1 à 2 cs de pickles, 5 échalotes épluchées, 10 cl de crème liquide, 1 cs de moutarde douce.

Mettez crème fraîche ou aigre, ciboulette, pickles et échalotes dans le bol d'un robot.

Ajoutez la crème liquide.

Ajoutez la moutarde et réduisez le tout en crème.
Parfaite avec du poisson poêlé ou grillé.

Pour 6 personnes

SAUCE AUX POMMES

1 pomme rouge, 30 cl de crème aigre, 3 cs de cornichons hachés.

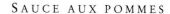

Ôtez le cœur de la pomme et coupez-la en morceaux. Mettez-la avec la crème aigre dans le bol d'un robot.

Ajoutez les cornichons et réduisez le tout en crème.
Très bonne avec des bâtonnets de poisson panés et autres poissons poêlés.

Pour 4 à 6 personnes

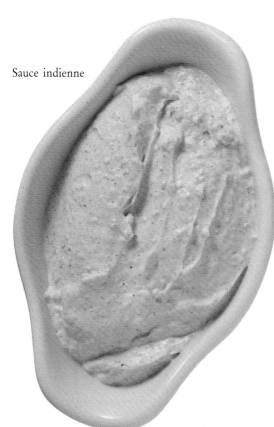

Sauce indienne

Sauce verte

SAUCE VERTE

100 g d'épinards frais hachés, 1 cs de ciboulette hachée, 2 cs de persil haché, 1 cs de moutarde douce, 1 gousse d'ail pelée, 20 cl de crème fraîche ou aigre, poivre éventuellement.

Mettez épinards, ciboulette, persil et moutarde dans le bol d'un robot.

Ajoutez ail et crème fraîche ou aigre et réduisez en sauce lisse. Poivrez selon votre goût.
Parfaite avec du poisson poêlé ou grillé.

Pour 4 personnes

SAUCE AUX PICKLES

1 cs de pickles (condiments au vinaigre), 1 échalote hachée, 1 cs de moutarde douce, 1 cc de câpres, 15 cl de crème aigre, 15 cl de crème fraîche, 1/2 cc de sel.

Mettez pickles, échalote, moutarde et câpres dans le bol d'un robot.

Ajoutez crème aigre et crème fraîche.

Salez à votre goût et réduisez en sauce lisse. Servez avec du poisson poêlé.

Pour 6 personnes

CRÈME AUX LÉGUMES

1 poireau
1 carotte
1 oignon
20 cl de bouillon de légumes
20 cl de crème fraîche
sel et poivre
estragon, éventuellement

Épluchez les légumes et coupez-les en morceaux. Faites-les cuire dans le bouillon jusqu'à ce qu'ils soient tendres, 10 à 15 mn.
Mettez légumes et bouillon dans le bol d'un robot et mixez. Ajoutez la crème et laissez fonctionner encore quelques secondes. Versez la sauce dans une casserole, salez et poivrez. Ajoutez l'estragon si vous l'aimez, puis réchauffez la sauce avec précaution.
Parfaite pour tous les poissons pochés ou cuits à la vapeur.

Pour 6 personnes

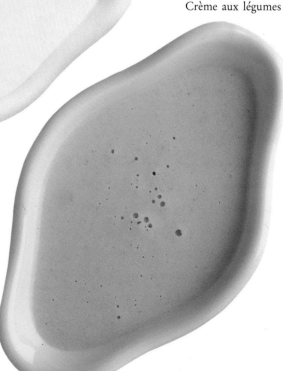

Sauce tartare

Sauce aux pickles

Crème aux légumes

Sauce aux pommes

RAIFORT À LA CRÈME

20 cl de crème liquide
10 cl de fromage blanc
2 à 3 cs de raifort râpé (ou radis noir)
1 à 2 cs de ciboulette ciselée
sel et poivre frais moulu

Faites bouillir la crème pour la réduire de moitié. Laissez un peu refroidir puis incorporez
le fromage blanc au fouet ainsi que les autres
ingrédients. Salez et poivrez selon votre goût.
Servez cette sauce chaude ou froide avec de
la morue salée. Elle est aussi très bonne avec
du poisson fumé, saumon par exemple.

Pour 2 ou 3 personnes

BEURRE FONDU À L'ŒUF
ET AU RAIFORT

110 g de beurre
4 œufs durs
1 cs d'aneth frais
1 cs de persil frais
1 cs de ciboulette
50 g de raifort (ou radis noir) râpé
sel et poivre frais moulu

Faites fondre le beurre. Hachez œufs durs,
aneth, persil et ciboulette. Mélangez le tout
avec le beurre. Ajoutez le raifort, salez et poivrez selon votre goût.
Servez avec de la morue pochée.

Pour 4 à 6 personnes

SAUCE VERTE
AU FROMAGE BLANC

225 g de fromage blanc à 20 %
5 cl de crème fraîche
1 cs de moutarde forte
1 à 2 cc de piment rouge haché
6 cs de ciboulette, persil et aneth ciselés
6 filets d'anchois, coupés en très petits dés
1 petit cornichon coupé en dés
huile et vinaigre
sel et poivre frais moulu

Mélangez le fromage blanc avec la crème fraîche et la moutarde puis ajoutez les herbes, les
anchois et le cornichon. Ajoutez huile et
vinaigre (à votre goût) et laissez la sauce reposer environ 1 h, pour développer les parfums.
Salez et poivrez avant de servir.
Servez avec du poisson pané.

Pour 4 personnes

CRÈME À L'AIL

2 gousses d'ail épluchées
10 cl de mayonnaise (voir p. 12)
10 cl de fromage blanc
$1/2$ cc de safran
$1/2$ à 1 cc de piment rouge haché fin
sel et poivre

Pressez l'ail et incorporez à la mayonnaise.
Mélangez au fromage blanc puis ajoutez le safran, piment, sel et poivre selon votre goût.
Laissez la crème à l'ail reposer environ 1 h pour assurer un mélange harmonieux des arômes.
Servez avec du poisson poché, en particulier du turbot et de la morue.

Pour 4 personnes

SAUCE RÉMOULADE

20 cl de crème aigre, 2 cs de mayonnaise (voir p. 12), 2 à 3 cs de concombres au vinaigre hachés, 1 cs de câpres, 2 cs de persil haché, 1 cs de cerfeuil séché.

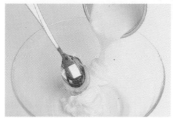

Mélangez crème aigre et mayonnaise.

Ajoutez concombres, câpres et persil.

Incorporez le cerfeuil.
Servez avec du poisson poêlé ou grillé.

Pour 4 personnes

SAUCE HOLLANDAISE

150 g de beurre, 3 jaunes d'œuf, 2 cs d'eau ou de vin blanc sec, $1/4$ de cc de poivre blanc, éventuellement jus de citron et sel.

Faites fondre le beurre dans une casserole à feu doux, puis réservez.

Mélangez au fouet les jaunes d'œuf et l'eau ou le vin dans une autre casserole.
Faites chauffer au bain-marie, sans laisser bouillir, en fouettant bien jusqu'à ce que le mélange commence à épaissir.

Ajoutez ensuite lentement le beurre fondu, sans cesser de fouetter vigoureusement.
Ajoutez _____, ainsi que du jus de citron _____ si vous le désirez.
_____ pour tous les poissons pochés.

Pour 4 personnes

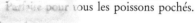

SAUCE BLANCHE
À LA CRÈME

40 cl de lait, 10 cl de crème liquide, 60 g de beurre manié (p. 13), poivre blanc ou tabasco, sel.

Mélangez lait et crème dans une casserole et portez à ébullition. Incorporez le beurre manié au fouet, petit à petit.

Laissez cuire 3 à 5 mn, tout en fouettant, jusqu'à ce que la sauce devienne luisante.

Pour que la sauce soit parfaitement lisse, utilisez du tabasco plutôt que du poivre blanc. Salez selon votre goût.
Servez avec du poisson blanc.

Pour 4 à 6 personnes

QUATRE PARFUMS
POUR SAUCE BLANCHE

Voici quatre suggestions pour aromatiser la sauce blanche de base :

Sauce à la moutarde de Meaux : incorporez 1 à 2 cs de moutarde de Meaux (en grains).

Sauce à l'œuf : hachez 2 œufs durs et mélangez-les à la sauce.

Sauce au persil : mélangez la sauce avec 3 cs de persil haché fin.

Sauce au raifort (ou au radis noir) : Ajoutez 3 à 4 cs de raifort râpé à la sauce puis mélangez avec 1 cc de sucre et 1 cc de vinaigre. Toutes ces sauces sont parfaites avec du poisson cuit à la vapeur ou poché.

Pour 4 personnes

JUS DE CITRON

1 citron bien lavé, 70 g de beurre à température ambiante, de l'eau, si nécessaire.

Faites cuire à la poêle le poisson de votre choix, retirez-le et gardez au chaud. Râpez le zeste de la moitié du citron dans la poêle.

Pressez le citron entier et ajoutez presque tout le jus dans la poêle.

Incorporez le beurre mou au fouet, morceau par morceau. Diluez avec un peu d'eau, et ajoutez le reste du jus de citron, si nécessaire.
Servez aussitôt.

Pour 4 personnes

Sauce blanche

Sauce à la moutarde de Meaux

SAUCE TOMATE AUX OLIVES

10 à 12 olives farcies, 1 à 2 cs de ketchup épicé,
1 cc de fécule de pomme de terre, 20 cl de
crème liquide.

Coupez les olives en rondelles.

Mettez olives, ketchup et fécule dans une
casserole. Ajoutez la crème et mélangez.

Portez la sauce à ébullition, en remuant
sans arrêt.
Cette sauce est délicieuse avec le poisson
poché, en particulier la limande ou la morue.

Pour 4 personnes

SAUCE AUX BAIES ROSES

10 cl de bouillon de poisson, 20 cl de crème
fraîche, 1 cc de baies roses écrasées, 1/2 cc de
sel.

Faites bouillir le bouillon de poisson (vous
pouvez utiliser du court-bouillon) dans une
casserole.

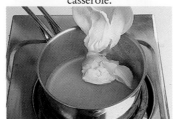

Baissez le feu et ajoutez la crème fraîche, petit
à petit.

Laissez la sauce cuire 5 à 10 mn, sans
couvercle. Ajoutez les baies roses et le sel,
mélangez.
Servez avec du poisson cuit à la vapeur ou
poché, en particulier du carrelet.

Pour 4 personnes

SAUCE À L'AIGRE-DOUX

30 g de beurre
2 cs de farine
30 cl de lait
10 cl de bouillon de poisson
(ou court-bouillon)
1 cc de vinaigre de vin blanc
2 cc de sucre
sel et poivre

Faites fondre le beurre dans une casserole.
Incorporez la farine et laissez cuire 1 à 2 mn.
Ajoutez le lait peu à peu en fouettant, puis
laissez bouillonner 3 à 5 mn tout en remuant.
Ajoutez bouillon, vinaigre et sucre. Salez et
poivrez selon votre goût.
Servez avec du poisson poché, en particulier
de la morue.

Pour 4 personnes

Sauce à l'œuf   Sauce au persil   Sauce au raifort

SOLE AU VIN BLANC

4 filets de sole, d'un poids total d'environ 70 g,
sans peau
10 cl de vin blanc sec
10 cl de bouillon de poisson
(ou court-bouillon)
1 échalote hachée
quelques brins de persil
un peu de beurre
40 cl de crème liquide
30 à 40 g (2 à 3 cs) de beurre manié (voir p. 13)
jus de citron frais
poivre de Cayenne ou tabasco
quelques gouttes de Worcester sauce
sel, éventuellement

Disposez les filets de sole dans un plat à four
peu profond avec le vin blanc, le bouillon,
l'échalote et le persil. Parsemez de beurre et
laissez pocher dans le four à 180°, 15 à 20 mn.
Pendant ce temps, faites cuire la crème pour
l'épaissir légèrement, en surveillant la cuisson,
car elle ne doit pas trop cuire. Quand le poisson est prêt, posez-le dans un plat de service
chaud et gardez-le au chaud. Passez le bouillon et faites-le bouillir à grand feu pour le
réduire à la même quantité que la crème.
Épaississez le bouillon avec le beurre manié
incorporé au fouet, petit à petit. Quand vous
avez obtenu la même consistance que la crème
réduite, mélangez les deux. Ajoutez le jus de
citron et le poivre de Cayenne ou le tabasco,
selon votre goût. Ajoutez quelques gouttes de
Worcester sauce et un peu de sel, si nécessaire.
Pour rendre la sauce luisante, ajoutez un peu
de beurre froid. Versez la sauce sur les filets
de sole et servez.
Très bon avec du riz.

Pour 4 personnes

BEURRE BLANC À LA CRÈME

3 échalotes
2 cs de vinaigre de vin blanc
50 cl de vin blanc ou d'eau
10 cl de crème liquide
250 g de beurre
sel et poivre
jus de citron frais, éventuellement

Hachez très fin les échalotes. Mettez-les avec
le vinaigre et le vin ou l'eau dans une casserole à feu vif. Laissez bouillir pour réduire à
2 ou 3 cs. Vous pouvez passer la sauce pour
éliminer l'échalote. Ajoutez la crème et le
beurre, petit à petit, en fouettant vigoureusement. Salez, poivrez et ajoutez éventuellement
du jus de citron, selon votre goût.
C'est une recette classique mais traitée ici de
façon moderne. L'ajout de crème diminue les
risques de la voir tourner pendant la préparation ou tandis que vous la gardez au chaud.
Cette sauce est parfaite avec du poisson cuit
à la vapeur ou grillé.

Pour 6 à 8 personnes

SAUCE AU FROMAGE

30 g de beurre
2 cs de farine
50 cl de lait
150 g de gruyère ou de fromage
à pâte dure râpé
$1/4$ de cc de poivre blanc
sel, éventuellement
2 cs de crème liquide ou épaisse,
éventuellement

Faites fondre le beurre dans une casserole.
Ajoutez la farine, mélangez et laissez cuire 1
à 2 mn. Incorporez en fouettant vivement $1/3$
du lait. Ajoutez le reste du lait et laissez cuire
environ 5 mn. Incorporez fromage, poivre, sel
si nécessaire. Ajoutez la crème, éventuellement.
Délicieuse avec tous les poissons pochés, ainsi
que pour les gratins.
Variantes : vous pouvez remplacer 10 cl de lait
par la même quantité de vin blanc ou ajouter
un poivron haché fin, pour ajouter une note
de couleur.

Pour 4 à 5 personnes

SAUCE AUX CREVETTES

100 g de crevettes fraîches
2 échalotes
150 g de beurre
50 cl de vinaigre de vin blanc
10 cl de vin blanc
10 cl de crème liquide
poivre blanc frais moulu

Décortiquez les crevettes et passez les épluchures à l'eau. Hachez fin les échalotes et faites-les fondre dans un peu de beurre. Ajoutez vinaigre, vin et épluchures de crevettes. Portez le mélange à ébullition et laissez cuire 3 mn puis ajoutez la crème. Laissez cuire encore 3 mn. Passez la sauce avec soin. Réduire en pâte lisse, au mixeur, les crevettes épluchées avec le reste du beurre. Portez à nouveau la sauce à ébullition et incorporez au fouet, hors du feu, la purée de crevettes. Réchauffez sans laisser bouillir. Poivrez. Délicieuse avec du poisson poché.

Pour 4 ou 5 personnes

SAUCE SAFRAN

$^1/_2$ oignon
30 g de beurre
2 cs de farine
50 cl de bouillon de poisson
(ou court-bouillon)
une bonne pincée de safran en poudre
10 cl de crème aigre
sel et poivre

Hachez fin l'oignon et faites-le cuire à feu doux dans le beurre. Saupoudrez de farine et laissez cuire 1 à 2 mn. Ajoutez peu à peu $^1/_3$ du bouillon et fouettez vigoureusement. Versez le reste du bouillon et laissez cuire 5 mn puis ajoutez le safran et la crème aigre. Réchauffez la sauce. Salez et poivrez à votre goût.
Cette sauce est excellente avec de la limande ou du saumon cuits à la vapeur ou pochés.

Pour 6 personnes

SAUCE À LA CIBOULETTE

10 cl de vin blanc
10 cl de bouillon de poisson
(ou court-bouillon)
20 cl de crème fraîche
$^1/_2$ cc de sel
$^1/_4$ à $^1/_2$ cc de poivre blanc
6 cs de ciboulette hachée fin
15 g de beurre

Mettez le vin et le bouillon dans une casserole et portez à ébullition. Incorporez la crème peu à peu. Laissez cuire la sauce 10 à 15 mn à feu vif, en fouettant de temps à autre. Salez et poivrez à votre goût. Ajoutez la ciboulette et le beurre petit à petit. Réchauffez la sauce.
Servez avec du poisson poché, limande, perche ou saumon, notamment.

Pour 4 personnes

SAUCE AU BEURRE ET À LA BIÈRE

1 kg de poisson avec arêtes ou 700 g sans arête
150 g de beurre
4 échalotes ciselées
30 cl de bouillon de poisson
(ou court-bouillon)
10 cl de bière blonde
sel et poivre frais moulu
1 cs de ciboulette ciselée

Faites cuire le poisson à la poêle, à feu doux, dans un peu de beurre, avec l'échalote sans la laisser dorer. Versez la bière et le bouillon dans la poêle. Laissez le tout mijoter douce-ment 5 à 10 mn. Retirez le poisson avec une écumoire pour le poser sur un plat de service chaud et garder au chaud. Laissez cuire la sauce encore 5 mn puis incorporez le beurre au fouet. Salez et poivrez. Parsemez de ciboulette.

Pour 4 personnes

SAUCE AU POIVRON ROUGE

2 poivrons rouges
beurre
beurre blanc (proportions p. 11)
sel et poivre frais moulu
poivre de Cayenne

Coupez les poivrons en deux, retirez la tige, le blanc et les graines puis coupez-les en 8 ou 10. Faites cuire le poivron à la poêle dans un peu de beurre, mettez-le ensuite dans le bol d'un robot et réduisez en purée lisse. Remet-tez-la dans la poêle et incorporez peu à peu le beurre blanc. Salez et poivrez à votre goût. Versez cette sauce sur du poisson poché.

Pour 4 personnes

SAUCE AUX ŒUFS DE LUMP

quelques parures de poisson
2 grains de poivre blanc
quelques brins de persil
eau
10 cl de vin blanc sec
20 cl de crème fraîche
poivre blanc
poivre de Cayenne
3 à 4 cs d'œufs de lump
sel

Mettez les parures de poisson, les grains de poivre et le persil dans une casserole. Ajou-tez assez d'eau pour les recouvrir. Portez à ébullition et laissez cuire 20 mn. Passez le bouillon et faites-le bouillir à feu vif pour le réduire à environ 10 cl. Ajoutez le vin et la crème fraîche. Laissez réduire le tout à feu vif, 5 à 10 mn. Assaisonnez avec du poivre blanc et de Cayenne puis ajoutez les œufs de lump, mélangez. Salez, si nécessaire.
Servez cette délicieuse sauce avec du carrelet ou de la limande-sole.

Pour 4 personnes

LE TURBOT

La sole, le flétan, la barbue, le carrelet, le flet
et la limande sont tous d'excellentes variétés
de poissons plats, mais le plus savoureux est
peut-être le turbot, que l'on trouve toute
l'année sur l'étal du poissonnier. Vérifiez que
l'œil reste vif et n'est pas enfoncé dans l'orbite
et que les ouïes sont d'un beau rouge sombre,
ce qui témoigne de la fraîcheur du poisson.
La chair doit être ferme, la peau recouverte
de mucus, et l'odeur légère et agréable. Le turbot est vendu entier ou en filets. C'est un gros
poisson pesant généralement 2 à 3 livres, mais
il en existe aussi des plus petits appelés tur-
botins, généralement moins chers. Goûtez-le
simplement cuit au four, dans du papier d'aluminium et servi avec une sauce appropriée,
telle une crème à l'ail.

HERBES ET ÉPICES, LA NATURE DANS VOTRE CUISINE

Les herbes et les épices, utilisées seules ou associées, sont indispensables à la confection d'une bonne sauce. Vous devez cependant les manier avec précaution, surtout si elles ne vous sont pas familières. Une trop grande quantité risque de masquer l'arôme, ce qui est difficile à rattraper (voir p. 100). Habituez-vous aux saveurs étrangères en les utilisant tout d'abord avec parcimonie puis en augmentant les doses à votre goût. Il est difficile de dire quelles sont les meilleures herbes et épices : employée judicieusement, chacune d'elles est parfaite. Il en est cependant de très courantes qui sont décrites ci-dessous, à commencer par le poivre, probablement la plus populaire des épices.

Il existe quatre différents types de poivre : noir, vert, blanc et rose. Les trois premiers viennent du même arbuste tropical, une sorte de liane. Le poivre blanc provient des baies mûres dont la peau est éliminée. Il est moins fort que le poivre noir, récolté avant maturité, qui garde peau et noyau. Le poivre vert est cueilli frais. Le poivre blanc et le noir sont très utilisés dans les sauces et vous devez toujours en avoir sous la main. Ils ont plus de parfum lorsqu'ils sont frais moulus. Le poivre citronné est du poivre noir aromatisé au citron. Le poivre rose, appelé plus communément « baies roses » provient d'un tout autre arbuste, originaire d'Amérique du Sud. Il a un goût piquant délicieux qui convient particulièrement bien au poisson. Cependant, il doit être utilisé avec précaution car il peut déclencher des réactions allergiques sévères.

Le quatre-épices appartient à une famille différente, apparentée au clou de girofle. Il parfume agréablement les sauces et les conserves au vinaigre.

Le piment rouge, le poivre de Cayenne et le paprika sont tous de l'espèce des piments. Les deux premiers, très forts, doivent être utilisés avec précaution.

Le curry en poudre est un mélange de plusieurs épices fortes et très parfumées telles que le poivre, le gingembre, la coriandre, la noix de muscade, le safran (qui lui donne sa couleur jaune caractéristique) et le cumin. On en trouve plusieurs sortes dans le commerce, de doux à très épicé.

L'ail est peut-être le condiment le plus extraordinaire. Son goût et sa puissance varient considérablement selon son origine, la durée de sa cuisson et la façon dont il est préparé. Écrasez-le si vous l'aimez fort, hachez-le très fin pour une saveur plus discrète. L'ail est facile à cultiver. Essayez de planter quelques gousses et très vite apparaîtront de fines pousses vertes à la légère saveur aillée.

Vous pouvez cultiver du basilic aussi bien au jardin qu'en pot, sur le rebord de la fenêtre. Le thym, le romarin et la sauge poussent également sans problème. Achetez-les en pots ou semez-les.

L'aneth, la ciboulette et le persil sont particulièrement délicieux et utiles. Choisissez le persil plat pour un parfum plus accentué. Plus vous les hachez fin, meilleure sera la saveur de ces herbes. Un hachoir électrique permet un résultat parfait.

L'estragon est l'une des quelques herbes qu'il vaut mieux utiliser séchées. Son parfum caractéristique bien que subtil, améliore toute une gamme de sauces et s'accorde avec presque tous les plats.

Enfin, si vous utilisez les herbes sèches, n'oubliez pas de les conserver dans des récipients hermétiques, à l'abri de la lumière et de la chaleur, pour garder leur parfum délicat et leur frais arôme. De même, achetez les épices par petites quantités et ne les gardez pas trop longtemps car elles finissent par s'abîmer.

LES FRUITS DE MER ET LES CRUSTACÉS

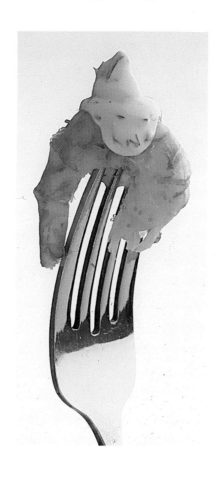

SAUCE TOMATE ÉPICÉE___ 73
SAUCE DIABOLO_____ 73
SAUCE RHODE ISLAND___ 73
SAUCE À L'AIL
POUR CREVETTES ROSES_ 74
SAUCE MEXICAINE
AUX CREVETTES ROSES___ 74
BEURRE AU BASILIC_____ 74
COULIS ORIENTAL_____ 75
SAUCE AUX NOIX_____ 75
SAUCE ITALIENNE
AU VIN BLANC_____ 75

SAUCE À L'ANETH
ET À LA CIBOULETTE___ 72
SAUCE SAFRAN
AU PAPRIKA_____ 72
SAUCE CRUSTACÉS
LÉGÈRE_____ 72

SAUCE GOURMET
AUX FRUITS DE MER_____ 76
FRICASSÉE DE CRABE
SAUCE À L'ANETH_____ 76
HUÎTRES CHAUDES
AUX POIREAUX_____ 76

SAUCE À L'ANETH
ET À LA CIBOULETTE

20 cl de crème aigre ou de crème fraîche
1 cs de raifort (ou radis noir) râpé
1 cs de moutarde
2 cs de ciboulette hachée fin
2 cs d'aneth frais haché fin
sel et poivre blanc frais moulu
jus de citron frais

Mélangez tous les ingrédients. Ajoutez sel, poivre et jus de citron, selon votre goût. Servez avec du homard ou de la langouste.

Pour 4 personnes

SAUCE SAFRAN AU PAPRIKA

20 cl de crème aigre
2 cs de mayonnaise
1 cc de paprika
$^1/_4$ de cc de safran en poudre
$^1/_4$ de cc de poivre noir
$^1/_2$ cc de sel
$^1/_2$ cc de sucre
1 cc de cognac, éventuellement

Mélangez au fouet la crème aigre et la mayonnaise. Ajoutez paprika, safran et poivre, sel, sucre, et cognac si vous le souhaitez. Mettez la sauce au réfrigérateur pendant quelques heures avant de servir.
Bon accompagnement des crevettes.

Pour 4 personnes

SAUCE CRUSTACÉS LÉGÈRE

250 g de fromage blanc, 1 cs de vinaigre, 1 cs de sucre, 1 $^1/_2$ cs de moutarde, 3 cs d'aneth frais ciselé, poivre et lait écrémé.

Mélangez dans un bol fromage blanc, vinaigre, sucre et moutarde.

Ajoutez l'aneth.

Poivrez à votre goût et si la sauce est trop épaisse, diluez-la avec un peu de lait écrémé. Délicieuse avec toutes sortes de fruits de mer ainsi qu'avec le saumon.

Pour 4 à 6 personnes

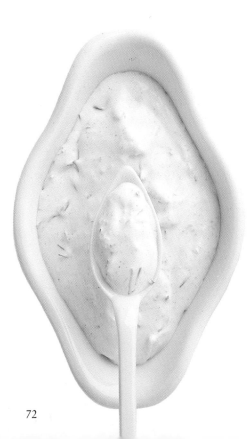

SAUCE TOMATE ÉPICÉE

20 cl de crème aigre, 2 cs de mayonnaise, 2 cs de purée de tomate, 1 gousse d'ail épluchée, ¼ de cc de poivre noir, tabasco.

Mélangez la crème aigre, la mayonnaise et la purée de tomate.

Pressez l'ail dans le mélange précédent.

Assaisonnez de poivre et de tabasco. Mettez au frais 20 mn avant de servir.
Servez avec des crevettes roses.

Pour 4 personnes

SAUCE DIABOLO

2 cs de poivre vert écrasé, 1 cs de sauce brune (voir p. 11), 1 cc de moutarde douce, 1 cc de vinaigre, 6 gouttes de tabasco, 20 cl de crème aigre.

Mélangez poivre vert, sauce brune, moutarde, vinaigre et tabasco.

Ajoutez la crème aigre.

Mélangez bien le tout et la sauce est prête. Le mélange peut se faire directement dans le plat de service.
Servez avec des fruits de mer.

Pour 4 personnes

SAUCE RHODE ISLAND

20 cl de crème aigre ou fraîche, 1 cc de harissa, 1 cc de moutarde douce, ½ cc de paprika, 3 gouttes de tabasco, 1 à 2 cs de whisky.

Mettez la crème fraîche ou aigre dans le bol d'un robot.

Ajoutez harissa, moutarde, paprika, tabasco et whisky.

Faites fonctionner le robot jusqu'à obtention d'une sauce parfaitement lisse.
Servez avec des fruits de mer.

Pour 4 personnes

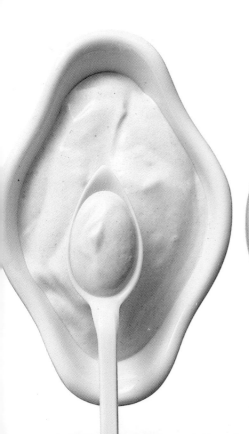

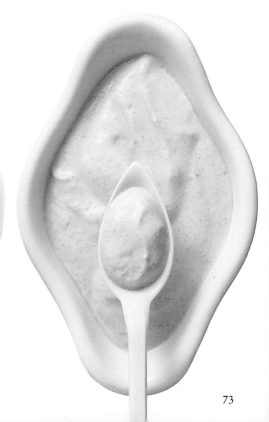

SAUCE À L'AIL POUR CREVETTES ROSES

2 cc de fécule de pomme de terre, 1/4 de cc de poivre blanc, 1 cs de moutarde, 30 cl de crème liquide, 1 ou 2 gousses d'ail, 6 cs d'aneth haché fin, 1 kg de crevettes roses non décortiquées (300 à 400 g décortiquées), sel, si nécessaire.

Mélangez fécule, poivre, moutarde et crème dans une casserole. Pressez l'ail et ajoutez-le. Mélangez bien.

Portez à ébullition en fouettant sans arrêt. Retirez du feu et ajoutez l'aneth.

En dernier lieu, ajoutez les crevettes roses. Réchauffer la sauce mais ne la laissez pas bouillir. Servez sur des toasts.

Pour 4 personnes

MEXICAINE AUX CREVETTES

1 boîte de 210 g de champignons émincés, 2 oignons hachés, 15 à 30 g de beurre, 1 cs de farine, 1 poivron vert émincé, 10 cl de ketchup, 1 cc de sel, 1/4 de cc de poivre blanc, 1/4 de cc de poivre de Cayenne, 3 cs de jus d'orange concentré surgelé, 10 cl d'eau, 20 cl de crème liquide, 800 g de crevettes roses décortiquées.

Égouttez les champignons. Faites-les cuire à feu doux, dans le beurre, avec les oignons. Saupoudrez de farine, mélangez.

Ajoutez poivron vert, ketchup, sel, poivre blanc et de Cayenne, jus d'orange, eau, crème. Laissez cuire 10 minutes.

Ajoutez les crevettes décortiquées. Servez cette sauce avec du riz nature.

Pour 4 personnes

BEURRE AU BASILIC

Beurre blanc
dans les proportions indiquées p. 11
6 feuilles de basilic frais
poivre frais moulu, éventuellement

Mettez le beurre blanc dans le bol d'un robot avec le basilic et réduisez en une sauce lisse. Ajoutez un peu de poivre, si vous le désirez. Si vous ne pouvez pas vous procurer du basilic frais, utilisez une autre herbe fraîche plutôt que du basilic séché.
Servez avec de la langouste ou des langoustines.

Pour 4 personnes

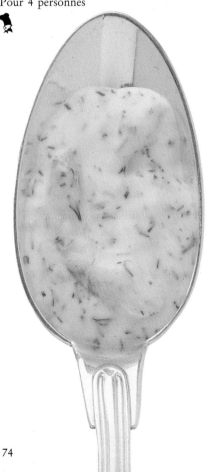

COULIS ORIENTAL

1 poireau
30 g de beurre
4 tomates
2 poivrons rouges
1 cc de curry
1 cs de riz à grains ronds
30 cl de lait
20 cl d'eau
sel et poivre

Émincez le poireau très finement. Faites-le cuire à feu doux dans le beurre, sans le laisser dorer. Trempez les tomates 10 s dans l'eau bouillante, épluchez-les et hachez-les grossièrement. Coupez le poivron en dés d'environ 1 cm. Mettez tous les ingrédients dans une casserole, portez à ébullition et laissez cuire environ 25 mn. Laissez légèrement refroidir puis versez le tout dans le bol d'un robot et réduisez en purée lisse. Salez et poivrez à votre goût.
Servez avec des moules.

Pour 4 personnes

SAUCE AUX NOIX

20 cl de crème fraîche ou aigre
1 cs de cornichons hachés fin
1 cs de noix hachées
sel et poivre blanc frais moulu
un peu du jus des cornichons, éventuellement

Mélangez la crème fraîche ou aigre avec les cornichons et les noix. Salez et poivrez, et ajoutez un peu du jus des cornichons si vous le désirez.
Délicieuse avec le homard.

Pour 4 personnes

SAUCE ITALIENNE
AU VIN BLANC

5 tomates
3 échalotes
50 g de beurre
$^1/_2$ cc de thym
10 cl de vin blanc
10 cl de crème liquide
poivre

Trempez les tomates 10 s dans l'eau bouillante, épluchez-les et hachez-les grossièrement. Hachez fin les échalotes et faites-les cuire à feu doux dans le beurre, avec le thym, jusqu'à ce qu'elles soient tendres. Ajoutez le vin, montez le feu et laissez bouillir jusqu'à ce qu'il soit presque complètement évaporé. Ajoutez la crème et les tomates hachées et réchauffez. Poivrez bien et servez avec des moules ou d'autres plats de fruits de mer chauds.

Pour 4 personnes

SAUCE GOURMET AUX FRUITS DE MER

1 ou 2 échalotes ciselées
300 g de champignons frais émincés
beurre
1 gousse d'ail épluchée, éventuellement
environ 300 g de queues de langoustines cuites
ou 1 kg de crevettes roses non décortiquées
2 cs de cognac
2 cs de Pernod
20 cl de crème liquide, légèrement fouettée
1 boîte de 30 cl de bisque de homard
3 cs de persil haché fin
2 à 3 cc d'estragon séché
5 à 8 cs de sauce hollandaise (environ la
moitié des quantités indiquées p. 63)

Faites cuire à feu doux, dans un peu de beurre,
l'échalote et les champignons, dans une casserole peu profonde. Ajoutez l'ail pressé si
vous le souhaitez. Ajoutez langoustines ou
crevettes et chauffez doucement le tout. Versez les alcools et flambez. Quand les flammes
sont éteintes, incorporez la crème et la bisque de homard. Laissez cuire 5 mn puis ajoutez le persil et l'estragon émietté. Retirez du
feu et ajoutez la sauce hollandaise. Servez avec
du riz.

Pour 6 personnes

FRICASSÉE DE CRABE SAUCE À L'ANETH

40 cl de crème liquide
4 petits crabes cuits
2 tomates
1 poireau
1 bouquet d'aneth frais
sel et poivre blanc

Faites bouillir la crème pour la réduire de moitié. Retirez du feu. Épluchez les crabes et
réservez la chair blanche et la partie crémeuse
brune. Jetez le reste. Nettoyez bien les carapaces. Passez les tomates 10 s à l'eau bouillante et épluchez-les. Coupez les tomates et
le poireau en dés et hachez fin l'aneth. Incorporez le crabe dans la crème chaude et
réchauffez le tout. Ajoutez les légumes, salez
et poivrez selon votre goût. Servez le mélange
dans les carapaces, avec les toasts.

Pour 4 personnes

HUÎTRES CHAUDES AUX POIREAUX

12 huîtres
10 cl de vin blanc sec
15 cl de crème liquide
50 g de beurre
le vert d'un poireau émincé
sel et poivre blanc frais moulu

Ouvrez les huîtres et retirez la chair avec précaution. Gardez l'eau et versez-la dans une casserole. Ajoutez le vin et les huîtres et chauffez
doucement. Retirez les huîtres avec une écumoire et réservez-les. Passez le bouillon dans
une casserole propre, ajoutez la crème et portez à ébullition. Baissez le feu. Incorporez le
beurre au fouet, ajoutez le poireau et les huîtres. Salez et poivrez. Ces huîtres sont excellentes en hors-d'œuvre. Servez-les chaudes,
dans leur coquille.

Pour 4 personnes

LE HOMARD

Pour que la fraîcheur et la saveur du homard soient parfaites, il faut l'acheter vivant. Il doit être vif et replier sa queue sous son corps lorsqu'on le soulève. Choisissez des femelles, qui ont plus de chair et sont un peu plus grosses que les mâles, et qui, de plus, portent souvent des œufs, succulents une fois bouillis. Les œufs deviennent rouges à la cuisson, de même que le reste du crustacé. Le homard est délicieux en salade, en soupe et en sauce et peut se manger cuit à l'eau ou grillé, avec une sauce aux herbes ou aux noix.

SAUCES POUR
LES PÂTES

SAUCE TOMATE AILLÉE___ 82
SAUCE AU BLEU_____ 82
SAUCE
À LA VIANDE_____ 82
SAUCE AU CÉLERI_____ 83
SAUCE LIGURIENNE_____ 83
SAUCE ROSE
AUX LANGOUSTINES_____ 83

SAUCE AU FENOUIL_____ 79
SAUCE AU SAUMON
ET À L'AVOCAT_____ 79
SAUCE TOMATE_____ 79
SAUCE AUX LÉGUMES_____ 80
SAUCE PIQUE-NIQUE_____ 80
COULIS
AUX PETITS POIS_____ 80
SAUCE
CREVETTE À L'ANETH___ 81
SAUCE
AU FROMAGE BLANC_____ 81
SAUCE AU JAMBON_____ 81

SALSA PIZZAIOLA_____ 84
SAUCE À LA VIANDE
ET AU FROMAGE_____ 84
SAUCE BACON
AU POIVRE_____ 84
SAUCE AU SAUMON_____ 85
SAUCE AU POULET
ET À L'ORANGE_____ 85
SAUCE AUX OLIVES_____ 85
SALSA POMODORO_____ 86
SAUCE FROIDE AU THON. 86
SAUCE AUX PANAIS
ET AUX PETITS POIS___ 86

SAUCE AUX CAROTTES
ET AUX NOIX_____ 87
SAUCE AU JAMBON
ET AUX OLIVES_____ 87
SAUCE AILLÉE
AUX CHAMPIGNONS_____ 87
ESCARGOTS
SAUCE AUX HERBES_____ 88
SAUCE AUX GIROLLES____ 88
PASTA MARINARA_____ 88
SAUCE SAFRAN
AUX MOULES_____ 88
PÂTES FRAÎCHES_____ 89

SAUCE AU FENOUIL

environ 350 g de fenouil
1 gousse d'ail épluchée, hachée
2 cs d'oignon haché
2 à 3 cs d'épinards hachés surgelés, décongelés
un bouquet de persil
10 cl de crème liquide
10 cl de crème fraîche
3 cs de parmesan râpé ou
100 g de gruyère râpé
sel et poivre frais moulu

Mettez le fenouil épluché et coupé en morceaux dans une casserole avec de l'eau et laissez cuire environ 25 mn. Égouttez et réservez le jus. Faites fondre ail et oignon dans un peu de beurre, à feu doux. Ajoutez le fenouil et les épinards et réchauffez. Réduisez au mixeur le persil en purée fine puis ajoutez le fenouil, l'oignon et les épinards. Diluez avec environ 6 c du jus de cuisson et mixez jusqu'à obtention d'une purée parfaitement lisse. Réchauffez le tout et ajoutez la crème liquide. Laissez cuire encore 5 mn et ajoutez la crème fraîche et le fromage. Salez et poivrez.
Servez avec des tagliatelle et des moules.

Pour 4 à 6 personnes

SAUCE AU SAUMON ET À L'AVOCAT

3 ou 4 échalotes
beurre
100 g de saumon fumé, haché
40 cl de crème liquide
2 cs de beurre
sel et poivre frais moulu
2 avocats
100 g de saumon fumé
coupé en 12 fines tranches
des pâtes papillons cuites
3 cs de parmesan ou 100 g de gruyère râpé
quelques truffes, éventuellement

Hachez les échalotes et faites-les fondre dans un peu de beurre. Ajoutez le saumon haché et la crème liquide. Portez à ébullition et laissez cuire environ 10 mn, en remuant sans arrêt. Incorporez le beurre, salez et poivrez. Coupez les avocats en 12 tranches. Entourez les tranches d'avocat avec les tranches de saumon et chauffez le tout au four, à 150° pendant 4 à 5 mn. Répartissez les pâtes chaudes sur chaque assiette et parsemez de fromage. Disposez les rouleaux de saumon sur les assiettes et garnissez de sauce. Décorez avec des truffes, si vous le désirez.

Pour 4 personnes

SAUCE TOMATE

8 tomates
1 oignon
beurre
1 cs de vinaigre de vin blanc
sel et poivre frais moulu
300 g de beurre à température ambiante

Ébouillantez les tomates et épluchez-les. Hachez-les grossièrement. Hachez fin l'oignon et faites-le cuire dans un peu de beurre, pour l'attendrir. Ajoutez les tomates et laissez cuire le tout à feu moyen, 2 à 3 mn. Ajoutez le vinaigre, salez et poivrez à votre goût. Ajoutez le beurre morceau par morceau, en fouettant vigoureusement. La sauce ne doit pas bouillir sous peine de tourner.
Servez avec des tagliatelle natures ou aux épinards.

Pour 8 à 10 personnes

79

SAUCE AUX LÉGUMES

2 carottes (environ 150 g), 125 g de brocoli, décongelés si vous utilisez des surgelés, 3 cs de persil frais, 30 cl de bouillon de légumes, 20 cl de crème liquide, ½ cc de sel, ¼ de cc de poivre blanc.

Épluchez et émincez les carottes. Faites-les cuire 10 mn à l'eau bouillante salée.

Ajoutez les brocoli ct laissez cuire le tout encore 5 à 8 mn.

Hachez fin le persil au robot.

Égouttez les légumes, en gardant un peu de leur eau de cuisson, et mettez-les dans le bol du robot. Ajoutez la crème et un peu d'eau de cuisson et réduisez en purée fine. Salez et poivrez et servez avec des pâtes chaudes.

Pour 4 à 6 personnes

SAUCE PIQUE-NIQUE

20 cl de crème aigre, 6 à 8 filets d'anchois, 1 gousse d'ail pelée, 1 cs de ketchup, ½ cc de romarin séché, du poivre et 1 cs de câpres.

Mettez tous les ingrédients dans le bol d'un robot, excepté les câpres.

Mixez jusqu'à obtention d'une crème lisse, poivrez à votre goût.

Incorporez les câpres.
Très bonne avec des pâtes froides.

Pour 4 personnes

COULIS AUX PETITS POIS

225 g de petits pois surgelés, décongelés, 10 cl de bouillon de légumes, 20 cl de crème liquide, 1 à 2 cc de jus de citron, ½ cc de sel, ¼ cc de poivre blanc, 1 boîte de moules en conserve de 340 g.

Réduire les petits pois en purée, au robot, avec le bouillon puis ajoutez la crème.

Ajoutez citron, sel et poivre.

Faites cuire les pâtes de votre choix.
Égouttez les moules et versez-les ainsi que la sauce sur les pâtes. Mélangez et réchauffez.
Servez avec du fromage râpé.

Pour 4 personnes

SAUCE CREVETTE À L'ANETH

2 pommes, 1 oignon, 1 gousse d'ail pelée, beurre, 1 à 2 cs de purée de tomate, 10 cl de vin blanc ou de bouillon de légumes, 20 cl de crème liquide, 6 cs d'aneth frais haché, sel et poivre, 25 à 30 crevettes roses épluchées.

Coupez les pommes en dés et hachez fin l'oignon.

Faites fondre doucement pommes, oignon et ail dans un peu de beurre.

Ajoutez la purée de tomate et diluez avec le vin ou le bouillon et la crème.

Chauffez la sauce à feu doux puis baissez le feu et incorporez l'aneth. Salez et poivrez à votre goût. Ajoutez les crevettes et mélangez.
Versez la sauce sur des pâtes chaudes.

Pour 4 personnes

SAUCE AU FROMAGE BLANC

225 g de fromage blanc, 5 cl de crème fraîche, éventuellement, 1 cs de gruyère râpé ou de parmesan, 1 cc d'origan séché, $\frac{1}{2}$ cc de muscade râpée, lait, éventuellement.

Mélangez le fromage blanc et la crème fraîche.

Ajoutez fromage, origan et muscade. Mélangez bien.

Diluez avec un peu de lait si vous préférez une sauce plus fluide.
Servez avec des pâtes froides, en salade.

Pour 4 à 6 personnes

SAUCE AU JAMBON

100 g de jambon de Bayonne, 20 cl de crème aigre, 1 cs de ciboulette hachée fin, 1 cc de moutarde douce, 1 cc de vinaigrette.

Découpez le jambon de Bayonne en petits dés que vous mélangez avec la crème aigre.

Ciselez la ciboulette directement dans le mélange.

Assaisonnez avec la moutarde et la vinaigrette. Servez avec des pâtes froides, en salade.

Pour 4 personnes

SAUCE TOMATE AILLÉE

6 tomates, 2 échalotes, 2 gousses d'ail pelées, 50 g de beurre, 1 cc d'origan séché, 10 cl de crème liquide, sel et poivre.

Ébouillantez les tomates et épluchez-les.

Retirez les graines et hachez grossièrement. Hachez fin les échalotes et l'ail.

Faites fondre l'ail et les échalotes à feu doux, dans le beurre.

Ajoutez origan, tomates et crème. Laissez cuire la sauce pour qu'elle soit bien chaude puis salez et poivrez.
Servez avec des pâtes chaudes.

3 personnes

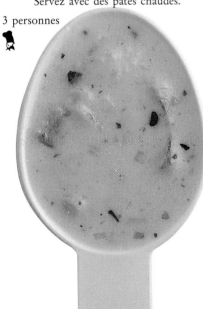

SAUCE AU BLEU

100 à 125 g de bleu de Bresse, 20 cl de crème fraîche, 1/4 de cuillerée à café de poivre noir, 3 cs de persil haché fin.

Faites cuire les pâtes de votre choix « al dente ». Égouttez-les, remettez-les dans la casserole. Émiettez le bleu sur les pâtes.

Ajoutez la crème fraîche et le poivre.

Mélangez et réchauffez avec précaution. Parsemez de persil et servez avec les pâtes dans des assiettes creuses.

Pour 4 personnes

SAUCE À LA VIANDE

350 g de viande hachée, beurre, 1 poireau, 100 g de jambon fumé, sel, poivre, 4 cs de ketchup épicé, 1 cs de sauce soja, 30 cl de lait, 2 gousses d'ail.

Faites revenir la viande dans un peu de beurre, dans une cocotte ou une poêle.

Émincez le poireau, faites-le dorer avec la viande. Coupez le jambon en petits dés.

Ajoutez jambon, sel et poivre à votre goût, ketchup, sauce soja et lait. Écrasez l'ail et incorporez-le. Laissez cuire 10 à 15 mn, en remuant de temps à autre, jusqu'à ce que la viande soit cuite.
Servez avec des pâtes chaudes.

Pour 4 personnes

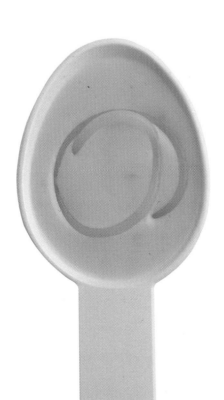

SAUCE AU CÉLERI

150 g de céleri-branche, beurre, 1 gousse d'ail
pelée, 1 cs de basilic frais haché grossièrement,
20 cl de bouillon de légumes, 20 cl de crème
liquide, sel et poivre.

Émincez le céleri et faites-le fondre à feu
doux dans un peu de beurre. Pressez l'ail
et ajoutez-le.

Saupoudrez de basilic.

Ajoutez le bouillon et la crème et portez à
ébullition. Salez et poivrez selon votre goût.
Délicieuse avec des pâtes chaudes.

Pour 4 personnes

SAUCE LIGURIENNE

170 g de beurre
10 cl de fromage blanc
3 gousses d'ail épluchées
1 bouquet de persil
10 feuilles de basilic frais
1 cs de parmesan râpé ou 50 g de gruyère râpé
sel et poivre

Faites fondre le beurre à feu doux dans une
casserole. Pendant ce temps, mettez le reste
des ingrédients dans le bol d'un robot et réduisez en une purée verte et lisse. Ajoutez cette
purée au beurre fondu, petit à petit, à feu
doux, en fouettant sans arrêt. La sauce ne doit
pas bouillir. Salez et poivrez à votre goût.
Mélangez des pâtes chaudes à la sauce et servez aussitôt.

Pour 4 personnes

SAUCE ROSE
AUX LANGOUSTINES

2 cs d'oignon haché fin
beurre
3 bouquets d'aneth hachés ou
1 ½ cs de graines d'aneth
2 cs de purée de tomate
10 cl de bouillon de poisson
(ou court-bouillon)
20 cl de crème fraîche
sel et poivre blanc
un peu de jus de citron frais pressé
12 à 15 queues de langoustines cuites,
hachées fin

Faites fondre l'oignon à feu doux, dans le
beurre, sans le dorer. Ajoutez aneth, purée de
tomate et bouillon. Portez le tout à ébullition,
à feu vif, et laissez bouillir 3 à 4 mn. Baissez
le feu. Ajoutez la crème fraîche et laissez cuire
encore 5 mn. Ajoutez sel, poivre et jus de
citron selon goût. Passez la sauce puis ajoutez les queues de langoustines hachées.
Servez aussitôt avec des penne rigate (tuyaux)
chaudes.

Pour 4 personnes

SALSA PIZZAIOLA

8 tomates mûres
4 échalotes
6 gousses d'ail
4 filets d'anchois roulés
3 olives vertes fourrées de piments
70 g de beurre
1 cs de câpres
1 cc de romarin
gruyère râpé

Ébouillantez et pelez les tomates puis retirez les graines. Hachez la pulpe puis épluchez et hachez fin les échalotes et l'ail. Hachez les anchois et émincez les olives. Faites dorer les échalotes dans le beurre puis ajoutez tomates, anchois, olives, câpres et romarin. Laissez cuire la sauce à feu doux, environ 10 mn. Servez avec des penne rigate, et le fromage râpé.

Pour 4 personnes

SAUCE À LA VIANDE ET AU FROMAGE

1 petit poireau, 200 g de porc, beurre, 1 gousse d'ail pelée, 10 cl de vin blanc sec ou de bouillon de légumes, 20 cl de crème liquide, 100 g de gruyère râpé, sel et poivre.

Émincez le poireau et coupez la viande en fines lanières.

Faites cuire à feu doux, le blanc du poireau et la viande, dans un peu de beurre. Ajoutez l'ail pressé.

Ajoutez le vin ou le bouillon et la crème liquide. Laissez cuire 10 à 15 mn. Incorporez le fromage puis salez et poivrez selon votre goût.
Servez avec des pâtes chaudes et garnissez avec le vert du poireau.

Pour 2 ou 3 personnes

SAUCE BACON AU POIVRE

1 oignon, 150 g de bacon, 2 ou 3 petits poivrons de différentes couleurs, un peu de safran, 20 cl de bouillon, de poulet de préférence, 20 cl de crème fraîche, sel et poivre.

Hachez fin l'oignon. Coupez le bacon et les poivrons en lanières.

Faites cuire à feu doux l'oignon et le bacon dans une poêle et saupoudrez avec un peu de safran.

Ajoutez le bouillon et la crème fraîche, mélangez.

Incorporez les poivrons et laissez cuire quelques minutes. Salez et poivrez à votre goût.
Délicieuse avec toutes les variétés de pâtes.

Pour 4 personnes

SAUCE AU SAUMON

1 échalote hachée fin, beurre, 20 cl de crème liquide, 5 cl de vin blanc, 100 g de saumon fumé, poivre noir concassé, gruyère râpé.

Faites fondre l'échalote à feu doux, dans un peu de beurre, sans la laisser dorer.

Ajoutez la crème et le vin. Laissez cuire 1 mn.

Coupez le saumon en petits dés. Chauffez-les 10 s dans une poêle non-adhésive, sans matière grasse.

Incorporez le saumon à la sauce et ajoutez du poivre noir selon votre goût. Servez aussitôt avec des pâtes chaudes. Saupoudrez de fromage râpé.

Pour 4 personnes

SAUCE AU POULET ET À L'ORANGE

1 poulet rôti, 1 poivron rouge, 1 cs de sauce soja, 3 cs de jus d'orange concentré surgelé, 20 cl de crème liquide, 10 cl de bouillon de poulet, curry éventuellement, sel et poivre.

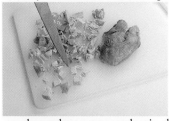

Désossez le poulet et coupez la viande en petits morceaux. Hachez fin le poivron.

Mélangez poulet, poivron rouge, sauce soja, jus d'orange décongelé, crème et bouillon dans une casserole.

Laissez cuire 2 à 3 mn jusqu'à ce que le mélange soit bien chaud. Ajoutez un peu de curry si vous l'aimez, salez et poivrez à votre goût.
Servez avec des pâtes chaudes.

Pour 4 personnes

SAUCE AUX OLIVES

100 g d'olives vertes farcies de piments, 100 g d'olives noires (pesées avec les noyaux), 2 gousses d'ail, pelées et hachées fin, 100 g de beurre, 10 à 20 cl de jus de tomate.

Dénoyautez les olives noires. Hachez grossièrement les olives.

Faites cuire l'ail à feu doux dans le beurre, dans une casserole à fond épais. Quand le beurre et l'ail commencent à blondir, versez le jus de tomate.

Portez à ébullition puis ajoutez les olives hachées.
Mélangez la sauce avec des pâtes chaudes et servez aussitôt.

Pour 3 ou 4 personnes

SALSA POMODORO

8 tomates mûres
4 échalotes
50 g de beurre
$^1/_2$ cc de marjolaine séchée
sel et poivre
20 cl de crème fraîche

Ébouillantez et pelez les tomates, ôtez les graines. Épluchez et hachez fin les échalotes que vous faites fondre, à feu doux, dans le beurre, sans les laisser dorer. Ajoutez les tomates et la marjolaine. Portez la sauce à ébullition et laissez-la bouillir jusqu'à ce qu'elle devienne assez épaisse. Salez et poivrez et, au moment de servir, posez une cuillerée de crème fraîche sur la sauce. On peut aussi mélanger la crème à la sauce.
Servez avec des pâtes chaudes.

Pour 4 personnes

SAUCE FROIDE AU THON

1 boîte de 210 g de thon au naturel
20 cl de crème fraîche ou aigre
1 gousse d'ail épluchée
1 jaune d'œuf
1 cs de câpres
poivre noir

Égouttez le thon et réservez le jus. Mettez tous les ingrédients dans le bol d'un robot et réduisez en une sauce lisse épaisse. Si la sauce est trop épaisse, diluez-la avec le liquide réservé. Ajoutez du poivre noir selon goût.
Délicieux avec des pâtes froides, en salade.

Pour 4 personnes

SAUCE AUX PANAIS ET PETITS POIS

2 panais (environ 250 g)
20 cl de bouillon de légumes
20 cl de crème liquide
1 cc de sel
$^1/_4$ de cc de poivre noir
1 cc de marjolaine séchée
100 g de petits pois surgelés, décongelés

Épluchez et hachez les panais. Faites-les cuire dans le bouillon, à couvert, jusqu'à ce qu'ils soient tendres (environ 10 mn). Versez les panais avec le bouillon dans le bol d'un robot et réduisez-les en purée. Mélangez la purée de panais, la crème, sel, poivre, marjolaine et les petits pois dans une casserole. Laissez cuire la sauce quelques minutes.
Servez avec des pâtes chaudes.

Pour 4 personnes

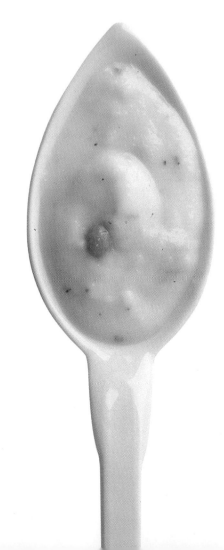

SAUCE AUX CAROTTES
ET AUX NOIX

3 ou 4 carottes (environ 250 g)
20 cl de bouillon de légumes
20 cl de crème fraîche ou liquide
1 cc de sel
$^1/_4$ de cc de poivre blanc
$^1/_2$ cc de thym
6 cs de gruyère râpé
6 cs de noisettes ou noix hachées
lait, éventuellement

Épluchez et émincez les carottes. Faites-les cuire dans le bouillon, à couvert, environ 10 mn, elles doivent être tendres. Mettez carottes et bouillon dans le bol d'un robot et réduisez en purée. Mettez la purée de carottes dans une casserole avec la crème, sel, poivre, thym et fromage. Laissez cuire quelques minutes. Incorporez les noix. Diluez avec un peu de lait si vous préférez une sauce moins consistante et servez avec des pâtes chaudes.

Pour 4 personnes

SAUCE AU JAMBON
ET AUX OLIVES

200 g de jambon fumé
10 à 15 olives vertes
20 cl de crème fraîche
2 cc de fécule de pomme de terre
20 cl de bouillon de viande ou de légumes

Coupez le jambon en petits morceaux et émincez les olives. Mélangez au fouet la crème fraîche et la fécule, dans une casserole, à feu doux. Ajoutez le bouillon, le jambon et les olives, mélangez et portez la sauce à ébullition. Servez avec des pâtes chaudes.

Pour 4 personnes

SAUCE AILLÉE
AUX CHAMPIGNONS

400 g de champignons
beurre
1 gousse d'ail épluchée
5 cl de vin blanc
20 cl de crème liquide
$^1/_2$ cc de sel
$^1/_4$ de cc de poivre noir
sauce soja, éventuellement
6 cs de persil haché fin

Émincez les champignons et faites-les cuire à feu doux, dans un peu de beurre. Ajoutez l'ail pressé, le vin et la crème et mélangez. Laissez la sauce bouillir, sans couvercle, environ 10 mn, jusqu'à ce qu'elle épaississe. Ajoutez sel et poivre et, si vous le souhaitez, de la sauce soja. Incorporez le persil et versez la sauce sur des tagliatelle chaudes.

Pour 4 personnes

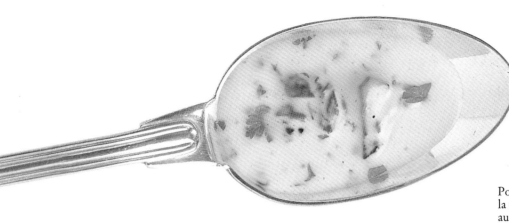

ESCARGOTS SAUCE AUX HERBES

20 cl de vin blanc
10 cl de bouillon de poisson
ou court-bouillon
20 cl de crème liquide
6 cs d'herbes fraîches : marjolaine,
cerfeuil, ciboulette, persil et basilic
50 g de beurre
2 douzaines d'escargots décoquillés
(en conserve)
1 gousse d'ail hachée fin
sel et poivre frais moulu

Portez le vin à ébullition avec le bouillon et
la crème. Hachez fin les herbes et ajoutez-les
au mélange précédent ou passez le tout au
robot. Remettez dans la casserole. Incorporez le beurre au fouet. Faites revenir les escargots et l'ail dans un peu de beurre, sans laisser
l'ail dorer. Ajoutez à la sauce, salez et poivrez.
Servez sur un lit de tagliatelle chaudes.

Pour 4 personnes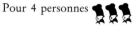

SAUCE AUX GIROLLES

50 cl de bouillon de poulet
350 g de girolles
3 échalotes hachées fin
70 g de beurre
sel et poivre frais moulu

Faites bouillir le bouillon pour le réduire de
moitié. Faites sauter les girolles et l'échalote,
sans matière grasse. Incorporez le beurre au
fouet, dans le bouillon, puis ajoutez les champignons avec l'échalote. Salez et poivrez selon
votre goût. Servez avec des pâtes fraîches (voir
recette ci-contre).

Pour 4 personnes

PASTA MARINARA

350 g de crevettes roses non décortiquées
quelques brins de persil
beurre
20 cl d'eau
2 ou 3 échalotes
20 cl de crème liquide
2 cs de cognac
20 cl de vin blanc sec
$1/4$ de cc de poivre noir
poivre de Cayenne
beurre manié,
éventuellement (voir p. 13)
3 tomates
environ 8 queues de langoustines cuites
3 cs de persil haché fin

Décortiquez les crevettes. Faites cuire à feu
doux les épluchures des crevettes et le persil
dans un peu de beurre puis ajoutez l'eau. Laissez cuire 5 mn. Passez le jus et faites-le bouillir à feu vif pour le réduire à 3 cs environ.
Faites fondre les échalotes ciselées dans un peu
de beurre, à feu doux. Ajoutez jus, crème,
cognac et vin. Laissez cuire environ 10 mn.
Ajoutez poivre noir et poivre de Cayenne à
votre goût. Si la sauce est trop liquide,
épaississez-la avec du beurre manié et laissez
cuire encore 3 à 5 mn. Ébouillantez et épluchez les tomates. Coupez-les en petits morceaux et mélangez à la sauce. Réchauffez la
sauce à feu doux. Incorporez les crevettes, les
langoustines coupées en morceaux et le persil. Réchauffez la sauce, sans la laisser bouillir.
Servez aussitôt avec des pâtes chaudes.

Pour 4 personnes

SAUCE SAFRAN AUX MOULES

1 kg de moules
3 gousses d'ail hachées
6 cs d'échalotes hachées fin
beurre
10 cl de vin blanc sec
20 cl de crème liquide
safran
sel et poivre frais moulu
10 cl de fromage blanc, éventuellement

Nettoyez et lavez bien les moules. Faites fondre l'ail et l'échalote avec un peu de beurre
dans une casserole. Ajoutez les moules et le
vin et mélangez, à feu doux. Couvrez la casserole. Après environ 30 s, les moules commencent à s'ouvrir. Elles sont cuites. Retirez
les moules de la casserole dès qu'elles s'ou-
vrent et jetez celles qui restent fermées après
quelques minutes. Passez le jus et versez-le
dans une autre casserole. Ajoutez la crème et
laissez bouillir, jusqu'à réduction de moitié.
Baissez le feu. Ajoutez un peu de safran, salez
et poivrez puis incorporez le fromage blanc
au fouet. Décoquillez les moules et mettez-
les dans la sauce.
Servez avec des pâtes chaudes.

Pour 4 personnes

PÂTES FRAÎCHES

4 œufs
400 g de farine
2 cc d'huile
$^1/_2$ cc de sel
épinards cuits et hachés, pour des pâtes vertes
purée de tomate, pour des pâtes roses

Il est préférable de faire la pâte au robot.
Mélangez les œufs, l'huile et le sel et éventuellement les épinards ou la tomate, pendant
quelques secondes. Ajoutez la farine, le robot
tournant toujours, jusqu'à ce que la pâte soit
bien mélangée et compacte. Laissez reposer
30 mn puis passez à la machine à pâtes ou
étalez-la en couche très fine et découpez à la
main.

SAUCES POUR
LES DESSERTS

CRÈME AU COINTREAU___ 92
CRÈME AU GINGEMBRE___ 93
CRÈME AUX AMANDES___ 93
SAUCE À L'ORANGE_____ 93
DÉLICE CHOCOLAT_____ 94
SAUCE RAPIDE
AU CHOCOLAT_____ 94
SAUCE
CARAMEL CHAUDE_____ 94
SAUCE CARAMEL
AU BEURRE_____ 95
SAUCE AUX NOIX_____ 95

COULIS DE FRAMBOISES__ 91
COULIS DE FRAISES_____ 91
FROMAGE BLANC
AUX AMANDES_____ 91
CRÈME FOUETTÉE_____ 92
QUATRE PARFUMS
POUR CRÈME FOUETTÉE_ 92

SAUCE CRÉMEUSE
AU CACAO_____ 95
SAUCE AU WHISKY_____ 96
CRÈME À LA VANILLE____ 96
SAUCE CHAUDE
AU CHOCOLAT
ET À LA MENTHE_____ 96

CRÈME À L'ARAK_____ 97
SAUCE DOUX RÊVES_____ 97
CRÈME AU CITRON_____ 97
SAUCE À LA
CANNELLE_____ 98
SAUCE MADAME_____ 98
SABAYON_____ 98

COULIS DE FRAMBOISES

10 cl de yaourt nature, 250 g de framboises, 1 à 2 cs de sucre en poudre.

Mettez les framboises et le yaourt dans le bol d'un robot.

Réduisez en purée. Passez pour éliminer les graines.

Ajoutez un peu de sucre, à votre goût. Servez avec des framboises fraîches. On peut aussi remplacer les framboises par des mûres, des cassis ou des fraises.

Pour 4 personnes

COULIS DE FRAISES

350 g de fraises, 20 cl de crème fraîche, 2 cs de sucre en poudre.

Passez les fraises à l'eau et retirez les queues.

Mettez fraises, crème fraîche et sucre dans le bol d'un robot.

Réduisez en purée fine.
Servez avec des tartes ou des biscuits fourrés.

Pour 4 à 6 personnes

FROMAGE BLANC AUX AMANDES

4 amandes entières avec la peau
50 g de pâte d'amande
20 cl de lait
15 cl de fromage blanc

Ébouillantez les amandes et ôtez la peau. Mettez amandes, pâte d'amande et lait dans le bol d'un robot et mélangez bien. Incorporez le fromage blanc au moment de servir. Parfait avec une salade de fruits.

Pour 4 personnes

CRÈME FOUETTÉE

Versez 20 à 30 cl de crème épaisse ou liquide dans une jatte à fond arrondi.

Fouettez-la avec un fouet à spirale, à la main, ou au batteur électrique, mais pas trop longtemps, pour qu'elle soit mousseuse.

Si la crème a tourné parce que vous avez fouetté trop longtemps, ajoutez un peu de crème non fouettée ou de lait et mélangez avec précaution.

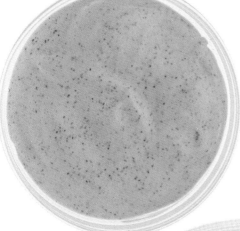

Crème au café

QUATRE PARFUMS POUR CRÈME FOUETTÉE

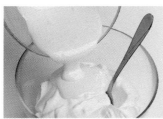

Crème à la vanille : mélangez 2 jaunes d'œuf, 1 cs de sucre en poudre et 1 cs de sucre vanillé. Incorporez à la crème fouettée.

Crème au sucre d'orge : concassez un sucre d'orge et incorporez à la crème fouettée. On peut ajouter un peu de sucre.

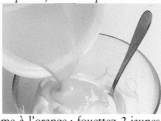

Crème à l'orange : fouettez 2 jaunes d'œuf avec 2 cs de sucre en poudre et 3 cs de jus d'orange concentré surgelé, décongelé. Incorporez à la crème fouettée.

Crème au café : écrasez 1 cs de café en granulés et 2 à 3 cs de sucre en poudre, dans un mortier, avec un pilon. Incorporez à la crème fouettée.

Pour 4 à 6 personnes

Crème au sucre d'orge

CRÈME AU COINTREAU

20 cl de crème liquide, ¹⁄₄ de citron, 1 à 2 cs de Cointreau, 1 cc de sucre en poudre.

Fouettez légèrement la crème et mettez-la à refroidir au réfrigérateur.

Lavez le citron et râpez un quart du zeste.

Pressez 1 cc de jus de citron que vous mélangez avec le zeste, la liqueur et le sucre.

Incorporez ce mélange à la crème fouettée rapidement, au moment de servir. Excellente avec des fruits, un biscuit fourré ou des petits gâteaux.

Pour 4 à 6 personnes

Crème à l'orange

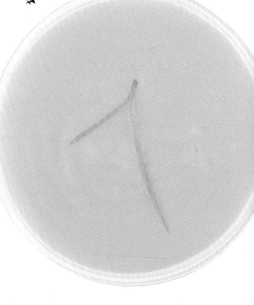

CRÈME AU GINGEMBRE

20 cl de crème liquide, 3 morceaux de gingembre confit, 3 cs de sirop de sucre de canne, $^1/_2$ cc de gingembre en poudre.

Fouettez légèrement la crème et ajoutez-lui le sirop de sucre de canne.

Coupez le gingembre en très fines lanières. Mélangez avec la crème.

Saupoudrez d'un peu de gingembre en poudre, au moment de servir. Délicieuse avec de la salade de fruits.

Pour 4 à 6 personnes

CRÈME AUX AMANDES

30 cl de crème liquide, 2 à 3 cs d'amaretto (liqueur d'amande), 2 cs de sucre, 100 g d'amandes effilées.

Versez la crème dans une jatte. Ajoutez la liqueur et le sucre.

Fouettez le tout pour le rendre mousseux.

Faites griller les amandes dans une poêle, en les surveillant.

Incorporez les amandes à la crème. Servez avec des pêches fraîches ou en conserve.

Pour 6 à 8 personnes

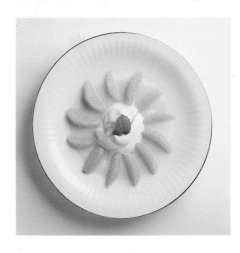

SAUCE À L'ORANGE

2 jaunes d'œuf
6 cs de sucre
2 blancs d'œuf
2 oranges épluchées
le jus et le zeste de 1 citron bien lavé
20 à 30 cl de crème liquide

Fouettez les jaunes d'œuf avec le sucre, jusqu'à ce qu'ils blanchissent et soient mousseux. Battez les blancs d'œuf en neige ferme dans une autre jatte, puis incorporez au mélange précédent. Coupez les oranges en petits morceaux et incorporez-les. Ajoutez jus et zeste de citron. Fouettez la crème et incorporez-la au mélange.
Servez cette sauce très froide avec des desserts à l'orange.

Pour 6 à 8 personnes

Crème aux amandes

Crème au Cointreau

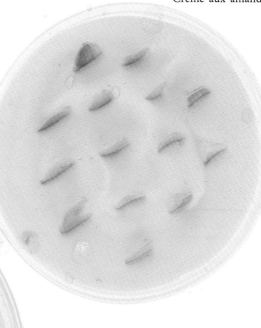

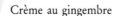

Crème au gingembre

Sauce rapide au chocolat

20 cl de crème liquide, 150 g de chocolat noir à cuire.

Faites chauffer la crème dans une casserole.

Cassez le chocolat en petits morceaux et ajoutez-le à la crème.

Baissez le feu et laissez fondre doucement le chocolat. Remuez souvent.

Servez avec de la glace, des poires ou des fruits au sirop.

Pour 4 personnes

Sauce caramel chaude

20 cl de crème liquide, 2 cs de sirop de sucre de canne, 3 cs de sucre, 1 cs de sucre vanillé, 30 g de beurre.

Versez la crème dans une casserole.

Incorporez au fouet le sirop, le sucre et le sucre vanillé. Portez à ébullition.

Incorporez le beurre au fouet, morceau par morceau et laissez cuire à feu moyen, 5 à 10 mn, jusqu'à ce que la sauce épaississe un peu. Servez la sauce chaude.
Délicieuse avec de la glace ou des fruits au sirop.

Pour 4 personnes

Délice chocolat

20 cl de crème liquide
100 g de chocolat noir à cuire
1 cs de sucre vanillé
3 cs de noisettes ou d'amandes hachées
3 cs de noix de coco râpée (séchée)

Faites chauffer la crème, à feu doux, dans une casserole. Cassez le chocolat en petits morceaux et mettez-le dans la crème. Ajoutez le sucre vanillé, les noisettes ou amandes et la noix de coco. Laissez cuire la sauce quelques minutes, à feu doux, en remuant souvent. Cette sauce est délicieuse avec de la glace ou des fruits au sirop.

Pour 4 personnes

SAUCE CARAMEL AU BEURRE

20 cl de crème liquide, 6 cs de sucre, 6 cs de sirop de sucre de canne, 100 g de beurre, $^1/_2$ cc de gingembre en poudre, $^1/_2$ sucre vanillé.

Mettez crème, sucre et sirop dans une casserole. Mélangez bien.

Incorporez la moitié du beurre.

Laissez bouillir jusqu'à consistance d'un caramel peu épais.

Ajoutez le gingembre, un sachet de sucre vanillé et le reste du beurre. Délicieuse chaude avec de la glace.

Pour 4 à 6 personnes

SAUCE AUX NOIX

20 cl de crème aigre ou de fromage blanc, 3 cs de noisettes ou de noix, 2 à 4 cs de sirop de sucre de canne, lait, éventuellement.

Versez la crème ou le fromage blanc dans une jatte.

Hachez les noix ou les noisettes.

Ajoutez noix ou noisettes et sirop à la crème. Si vous désirez une sauce moins épaisse, diluez avec un peu de lait.
Servez avec de la salade de fruits.

Pour 4 personnes

SAUCE CRÉMEUSE AU CACAO

30 cl de crème liquide, 2 cs de sucre, 1 cc de cacao en poudre, $^1/_2$ gousse de vanille ou 1 cc de sucre vanillé.

Mettez la crème, le sucre et le cacao dans une casserole à fond épais.

Fendez la vanille dans la longueur, dégagez les graines, mettez le tout dans la crème.

Laissez cuire jusqu'à obtention d'une consistance épaisse et crémeuse. Si vous utilisez le sucre vanillé, ajoutez-le au dernier moment.
Servez avec de la glace.

Pour 4 personnes

SAUCE AU WHISKY

1 cs de gelée de cassis
50 g de pâte d'amande
8 à 10 cl de whisky
20 cl de crème liquide

Faites fondre à feu doux la gelée de cassis, dans une petite casserole. Ajoutez la pâte d'amande et retirez du feu. Mélangez la pâte d'amande et la gelée de cassis jusqu'à ce que le tout soit devenu parfaitement lisse. Incorporez le whisky et laissez refroidir. Fouettez légèrement la crème, puis ajoutez-lui le mélange aux amandes.
Délicieuse avec des poires cuites au vin rouge.

Pour 4 à 6 personnes

CRÈME À LA VANILLE

4 jaunes d'œuf
70 g de sucre
1 gousse de vanille
40 cl de crème liquide
25 cl de lait

Fouettez les jaunes d'œuf avec le sucre jusqu'à ce qu'ils blanchissent et soient mousseux. Fendez la vanille dans la longueur et dégagez les graines. Faites bouillir la moitié de la crème avec le lait, la gousse de vanille et ses graines. Battez les jaunes d'œuf avec un peu de ce mélange et remettez dans la casserole. Remuez sans arrêt, à feu très doux et sans laisser bouillir la sauce, jusqu'à ce qu'elle épaississe. Laissez refroidir. Retirez la gousse de vanille. Fouettez le reste de la crème et ajoutez-la à la sauce lorsqu'elle est refroidie.
Délicieuse avec les desserts aux pommes.

Pour 6 à 8 personnes

SAUCE CHAUDE AU CHOCOLAT ET À LA MENTHE

3 à 4 cs de menthe poivrée ou ordinaire fraîche
20 cl d'eau
4 à 6 cs de cacao en poudre
4 cs de sucre
50 g de beurre

Hachez très fin la menthe, feuilles et tiges. Faites-la ensuite frémir dans l'eau, à feu doux, dans une casserole couverte, pendant 30 mn. Lorsque l'eau est bien parfumée, passez le tout dans une casserole propre. Ajoutez le cacao et le sucre. Portez à ébullition et laissez cuire quelques minutes, pour épaissir le mélange, puis incorporez le beurre.
Délicieuse servie chaude sur de la glace.

Pour 4 personnes

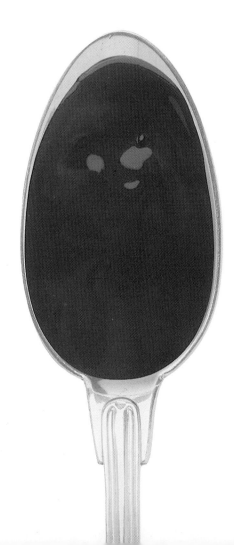

CRÈME À l'ARAK

20 à 30 cl de crème liquide
2 jaunes d'œuf
1 à 2 cs de sucre
5 cl d'arak ou, si vous n'en trouvez pas,
d'anisette

Mélangez tous les ingrédients dans une casserole en acier inoxydable et fouettez vigoureusement. Continuez à fouetter, à feu doux, jusqu'à ce que la sauce commence à épaissir. Cette sauce est parfaite servie chaude mais aussi très bonne froide. Laissez-la d'abord refroidir, avant de la mettre au réfrigérateur. Délicieuse avec de la glace ou des framboises.

Pour 6 personnes

SAUCE DOUX RÊVES

30 g de beurre, 20 cl de crème liquide, 3 cs de sucre, 1 cs de sucre vanillé.

Faites fondre le beurre dans une casserole.

Ajoutez crème et sucre. Laissez cuire environ 10 mn, en remuant de temps à autre.

Ajoutez, pour finir, le sucre vanillé. Délicieuse avec des fruits rafraîchis, en particulier un mélange de framboises et de pêches.

Pour 4 personnes

CRÈME AU CITRON

250 g de fromage blanc, 4 cs de sucre, 1 cs de sucre vanillé, le jus d'$1/2$ à 1 citron.

Mélangez fromage blanc, sucre et sucre vanillé dans une jatte.

Pressez le jus du citron.

Mélangez le jus de citron au fromage blanc et laissez au réfrigérateur pendant environ 1 h. Servez avec de la salade de fruits.

Pour 6 personnes

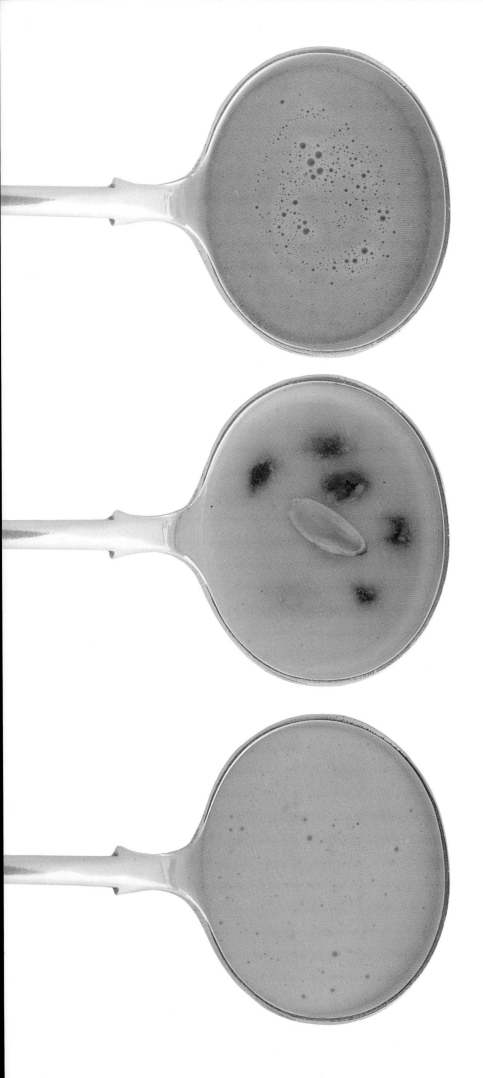

SAUCE À LA CANNELLE

30 cl de crème liquide
30 cl de lait
2 à 3 cs de cannelle moulue
6 jaunes d'œuf
6 à 7 cs de sucre

Mélangez crème, lait et cannelle dans une casserole et portez à ébullition. Retirez du feu. Mettez les jaunes d'œuf et le sucre dans une casserole en acier inoxydable et fouettez vigoureusement. Incorporez le mélange de crème et de lait et remettez sur le feu. Chauffez la sauce tout en fouettant. Au premier bouillon, retirez la casserole du feu, la sauce ne devant pas bouillir. Passez-la à travers une passoire fine puis mettez-la dans le bol d'un robot et mixez quelques secondes.
Servez chaud avec un dessert aux pommes.

Pour 6 à 8 personnes

SAUCE MADAME

30 cl de crème liquide
1 gousse de vanille
6 cs de raisins blonds
1 à 2 cs de rhum
1 à 4 cs de sucre
3 cs d'amandes émincées
4 pêches

Portez la crème à ébullition. Fendez la gousse de vanille, dégagez les graines noires que vous mettez dans la crème avec la gousse et les raisins. Laissez cuire environ 10 mn. Retirez et jetez la gousse de vanille. Ajoutez le rhum et du sucre selon votre goût. Laissez cuire à feu doux, 5 à 10 mn. Faites griller les amandes à la poêle, sans matière grasse. Ébouillantez et pelez les pêches. Coupez-les en deux et retirez le noyau. Disposez-les sur des assiettes à dessert et versez la sauce dessus. Garnissez avec les amandes grillées.

Pour 4 personnes

SABAYON

6 jaunes d'œuf
4 cs de sucre en poudre
4 cs de marsala
10 cl de crème liquide

Fouettez les jaunes d'œuf, le sucre et le marsala dans une jatte en acier inoxydable ou une petite casserole que vous posez ensuite dans un bain-marie d'eau très chaude mais non bouillante. Fouettez tout le temps, tout en chauffant, jusqu'à ce que le mélange devienne épais et mousseux. Retirez du feu. Fouettez légèrement la crème et incorporez-la au fouet dans la sauce, peu à peu.
Servez la sauce chaude ou tiède avec des fruits au sirop, par exemple des poires et des pommes ou avec des fruits frais comme des kiwis ou de l'ananas.

Pour 4 à 6 personnes

LA VANILLE

Seule, la vanille en gousse donnera à une sauce un parfum authentique. La gousse est le fruit séché d'une orchidée poussant en Amérique centrale. Fendez cette gousse en deux et faites-la cuire dans le lait ou la crème, pour qu'elle leur communique tout son arôme. La véritable vanille se reconnaît à la présence de petites graines noires. La sauce à la vanille est délicieuse avec la tarte aux pommes et tous les autres desserts aux pommes.

COMMENT RATTRAPER UNE SAUCE

LA SAUCE A TOURNÉ : ceci peut arriver en présence de trop de matières grasses ou d'ingrédients acides. Les sauces contenant des œufs tournent elles aussi facilement si on les fait cuire à feu trop vif. Essayez d'ajouter un peu d'eau, en fouettant vigoureusement ou bien épaississez avec de l'épaississant à l'eau (voir p. 13) ou du beurre manié (voir p. 13).

Une sauce hollandaise ou béarnaise tourne si la chaleur est trop forte ou si le beurre est ajouté trop rapidement. Vous pouvez la rattraper en ajoutant un peu d'eau glacée et en fouettant vigoureusement.

Une mayonnaise tourne si vous versez l'huile trop rapidement, vous la rattraperez en mettant un jaune d'œuf dans un bol propre et en y versant la mayonnaise tournée, petit à petit, en fouettant vigoureusement, de préférence avec un batteur électrique.

La crème à la vanille peut tourner si on la met à feu trop vif, au lieu de la laisser cuire à feu très doux, sans bouillir. Il est difficile d'y rémédier. Essayez cependant, après l'avoir laissé refroidir, de la mélanger avec de la crème fouettée qui en améliorera la consistance, la saveur restant inchangée.

LA SAUCE EST TROP SALÉE : ceci est, bien sûr, dû à un excès d'ingrédients salés. Aussi lorsqu'une sauce comporte du bouillon, de la sauce soja, du fromage ou des olives, ajoutez ces éléments avec précaution, car ils contiennent souvent plus de sel que l'on ne pense.

Pour améliorer une sauce trop salée, ajoutez de la crème liquide ou de la crème fraîche. On peut aussi, dans certains cas, mettre une pomme de terre crue, épluchée, à cuire dans la sauce, pendant 10 mn. On la jette ensuite, lorsqu'elle a absorbé une partie du sel en excès.

LA SAUCE A UN GOÛT DE BRÛLÉ : il est difficile d'y remédier. Essayez de la passer dans une casserole propre et de lui ajouter crème liquide ou crème fraîche pour l'adoucir, ou au contraire un nouvel ingrédient à la saveur plus prononcée, qui masquera le goût de brûlé, comme du poivre, du bleu ou du cognac.

LA SAUCE EST TROP ÉPAISSE : pour avoir bouilli trop longtemps ou parce qu'elle contient trop de farine. Pour l'allonger, il suffit de lui ajouter de l'eau, du bouillon, du vin, du lait, de la crème liquide ou épaisse, en choisissant l'élément qui s'accordera aux autres ingrédients de la sauce.

LA SAUCE EST TROP LIQUIDE : cela est dû, en général, à une quantité de farine insuffisante par rapport au liquide. Certains ingrédients allongent parfois un peu trop une sauce : l'oignon, les agrumes et le vin, par exemple. Vous remédierez à ce problème en utilisant du beurre manié ou de l'épaississant à l'eau (voir p. 13). Vous pouvez aussi faire réduire la sauce à la consistance désirée, en la laissant bouillir à feu vif, à condition que cela ne la fasse pas tourner (voir ci-dessus). Goûtez-la tout d'abord, car ce procédé risque de la rendre trop salée ou trop épicée.

La mayonnaise perd sa consistance si vous ne la fouettez pas vigoureusement en versant l'huile. Pour épaissir une mayonnaise, procédez de la même façon que si elle avait tourné (voir ci-dessus).

LA SAUCE A DES GRUMEAUX : cela peut arriver pour plusieurs raisons ; vous n'avez pas laissé la farine cuire suffisamment dans le beurre, la quantité était trop importante par rapport à celle du beurre, ou bien le mélange farine-liquide ne s'est pas fait complètement, ou encore vous avez versé le liquide trop rapidement, sans remuer suffisamment. Pour obtenir une sauce lisse, passez-la à travers une passoire fine (chinois) et réchauffez-la, tout en fouettant.

LA SAUCE EST TROP ÉPICÉE : si vous ajoutez des épices à une sauce sans la goûter, vous risquez d'en mettre trop. Un peu de crème liquide ou épaisse corrigera votre erreur.

LA SAUCE EST TROP FADE : goûtez-la et laissez votre imagination vous conseiller les herbes ou épices appropriées. Il suffit peut-être de saler et poivrer, mais vous pouvez essayer la sauce soja ou la purée de tomates, la moutarde, le bouillon, l'ail, le vin, le cognac, le whisky ou des fines herbes. Si la sauce est par ailleurs trop liquide, la réduction donnera automatiquement plus d'intensité aux saveurs.

GLOSSAIRE

ANETH : peut éventuellement être remplacé par le feuillage du fenouil dont le goût est cependant moins fin. On le trouve chez les marchands de légumes.

BAIN-MARIE : utilisé pour des plats réclamant une cuisson égale. La casserole (ou le plat) où se trouvent les ingrédients, est placée dans une autre, plus grande, contenant de l'eau frémissante. La cuisson peut se faire au four ou sur le feu et l'eau ne doit pas bouillir.

BÉCHAMEL : Louis de Béchamel, fermier général, surintendant de la maison du duc d'Orléans, acquit une certaine célébrité en inventant la sauce blanche à laquelle il a donné son nom.

BLEU DE BRESSE : peut être remplacé par un autre fromage bleu moelleux, bleu des Causses ou bleu d'Auvergne, par exemple.

BOUILLON de légumes ou de viande : peut s'obtenir à partir de tablettes, si vous n'en avez pas de frais.

CHUTNEY : condiment aigre-doux, fait de fruits ou de légumes pimentés et épicés, confits dans du vinaigre sucré.

CONCOMBRES AU VINAIGRE : plus doux que les cornichons. Se trouvent dans les épiceries fines.

CORIANDRE FRAÎCHE : dans les boutiques de produits exotiques et de plus en plus souvent sur les étals des marchands de légumes.

CRÈME AIGRE : utilisez de la crème fraîche épaisse additionnée d'un filet de jus de citron.

CRÈME LIQUIDE : utilisez la crème U.H.T. en petites « briques » de carton. Elle est parfaite pour être fouettée.

DIP : sauce(s) froide(s) assez épaisse(s), seule ou en assortiment, où l'on trempe, en hors d'œuvre ou avec l'apéritif, des légumes crus détaillés en bâtonnets, tels que chou-fleur, concombre, carotte, céleri, poivron, tomate, ainsi que des chips.

GINGEMBRE CONFIT : dans les épiceries fines ou les magasins d'alimentation asiatiques.

GRAINES DE SÉSAME : dans les épiceries fines ou les boutiques de diététique.

GRAINES DE TOURNESOL : dans les boutiques de diététique.

GRUYÈRE : peut être remplacé par de l'emmenthal, du comté ou n'importe quel fromage à pâte dure.

JUS DE CASSIS : dans les boutiques de diététique ou au rayon des aliments pour bébés.

KETCHUP ÉPICÉ : une variété de tomato ketchup. Si vous n'en trouvez pas en grande surface ou en épicerie, ajoutez de la harissa à du ketchup normal.

PANAIS : plante dont on consomme la racine qui ressemble à une carotte blanche. On en trouve dans le sud-ouest de la France et chez certains marchands de légumes. À Paris, chez Marks and Spencer's. Vous pouvez éventuellement les remplacer par des topinambours.

PICKLES : condiments (oignons, carottes...) au vinaigre. Dans les épiceries ou les grandes surfaces.

POIVRE CITRONNÉ : poivre parfumé au citron. Si vous n'en trouvez pas, ajoutez un peu de zeste râpé fin à du poivre noir.

POUSSES D'ALFALFA : pousses de luzerne, se présentant sous la forme de petites tiges transparentes à feuilles vertes, vendues en barquettes. Utilisées sur des canapés, des sandwiches ou en salade. Dans les magasins de diététique et les grandes surfaces, surtout au printemps.

PRESSE-AIL : petit instrument permettant de hacher l'ail, à travers une petite grille, sans se parfumer les doigts.

RAIFORT : peut être remplacé par du radis noir qui est moins piquant. Le raifort râpé s'achète en bocal, dans les épiceries fines et certaines grandes surfaces.

RÉDUIRE : on laisse une sauce ou un liquide à feu vif, pour en faire évaporer une partie, et ainsi réduire la quantité tout en concentrant l'arôme. Il est préférable d'utiliser pour cela une casserole peu profonde et assez large.

ROUX : épaississant fait de beurre et de farine ; la farine est ajoutée au beurre fondu et cuite 1 à 2 mn, avant que l'on ajoute les ingrédients liquides.

SALSA : sauce, en italien et en espagnol.

SAUCE CAFÉ DE PARIS : beurre épicé ayant la consistance d'une sauce, qui porte le nom d'un restaurant de Genève. La recette originale est secrète mais on sait qu'elle comporte 50 ingrédients et est à base de sauce béarnaise.

TABASCO : sauce épicée, originaire de Louisiane, faite avec des piments rouges forts, réduits en poudre, mélangés avec du sel et mis à vieillir pendant 3 ans dans des tonneaux à whisky, en chêne. On ajoute du vinaigre avant de passer la sauce et de la mettre en bouteilles. Dans les épiceries ou les grandes surfaces.

WORCESTER SAUCE (ou Worcestershire) : sauce anglaise épicée dont quelques gouttes suffisent. Dans les épiceries fines ou les grandes surfaces.

INDEX

Les produits laitiers _____ 8

SAUCES DE BASE ET ÉPAISSISSANTS

Béchamel (sauce blanche) _____ 10
Beurre blanc _____ 11
Beurre manié _____ 13
Bouillon _____ 34
Épaississant à la crème _____ 12
Épaississant à l'eau _____ 13
Mayonnaise _____ 12
Roux _____ 13
Sauce au jus de viande _____ 11
    blanche légère _____ 10
    brune _____ 11
    espagnole _____ 11
Velouté _____ 10
Vinaigrette _____ 12

LES SALADES

Crème aigre à la tomate _____ 15
    à l'avocat _____ 22
    à la moutarde _____ 19
Dip rapide _____ 23
La romaine _____ **25**
Sauce à l'ail _____ 19
    à l'ancienne _____ 23
    à l'aneth _____ 18
    à l'aneth et à la tomate _____ 17
    à la crème aigre et au bleu _____ 21
    à la mayonnaise _____ 18
    à la moutarde _____ 16
    à la pomme _____ 19
    à la russe _____ 21
    à la tomate et au piment _____ 24
    américaine _____ 20
    au céleri _____ 22
    au concombre _____ 17
    au piment et au yaourt _____ 24
    au vin rosé et aux fines herbes _____ 22
    à la crème et aux baies roses _____ 15
    aux noix _____ 17
    de César _____ 20
    de Cranks _____ 16
    de Dijon _____ 18
    de Madras _____ 21
    du gourmet _____ 16
    du jardinier _____ 20
    pimentée _____ 15
    rose _____ 23
Vinaigrette au bleu _____ 24

LES LÉGUMES

Beurre citronné _____ 30
Beurre de persil _____ 31
Crème d'avocat à l'aneth _____ 29
Crème aux noix _____ 28
Hollandaise aux noisettes _____ 29
Les asperges _____ **33**
Sabayon aux fines herbes _____ 32
Sauce égalité _____ 30
Sauce à la crème citronnée _____ 27
    au beurre et aux cèpes _____ 31
    au cresson _____ 32
    au tarama _____ 27
    chaude au fromage _____ 27
    froide au fromage _____ 28
    froide au safran _____ 30
    mousseuse _____ 31
    pimentée à l'avocat _____ 32
    piquante aux fines herbes _____ 29
    scandinave _____ 28

LES VIANDES

Beurre au raifort _____ 45
Beurre persillé _____ 45
Bouillon de viande _____ 34
Crème à la menthe _____ 43
Crème au curry _____ 36
Crème aux baies roses _____ 38
Jus de viande à l'ancienne _____ 38

L'agneau _____ 47
Le veau _____ 49
Quatre parfums pour sauce à la crème _____ 37
Ragoût du chasseur _____ 45
Sauce à l'ail _____ 46
    à l'aneth _____ 44
    à l'oignon _____ 36
    à l'orange _____ 39
    à la crème pour viande poêlée _____ 36
    à la moutarde _____ 40
    au bleu _____ 44
    au bleu et au xérès _____ 41
    au cidre _____ 46
    au poivre noir _____ 39
    au poivron et au paprika _____ 38
    au raifort _____ 44
    au romarin _____ 40
    au vin blanc et fines herbes _____ 46
    au vinaigre de xérès _____ 39
    aux câpres _____ 42
    aux champignons _____ 40
    aux champignons et au porto _____ 43
    béarnaise _____ 45
    Café de Paris _____ 48
    épicée aux herbes _____ 42
    flambée au cognac _____ 41
    fruitée _____ 37
    italienne _____ 42
    tomate aux herbes _____ 41
    venaison _____ 43
    verte aux fines herbes _____ 48
Steack au porto _____ 37

LES VOLAILLES ET LES GIBIERS

Bouillon de poulet aux groseilles _____ 55
Le poulet de Bresse _____ **56**
Poulet au curry _____ 53
Poulet au jus persillé _____ 55
Sauce à l'ananas _____ 52
    à l'estragon _____ 54
    au citron _____ 55
    au citron vert _____ 57
    au jus pour le gibier _____ 53
    aux cerises _____ 54
    aux foies de volaille _____ 52
    aux pruneaux _____ 57
    champignons à la crème _____ 57
    curry à la crème _____ 53
    raifort à la pomme _____ 52
    suprême _____ 54

LES POISSONS

Beurre blanc à la crème _____ 66
Beurre fondu à l'œuf et au raifort _____ 62
Carrelet au vin blanc _____ 59
Crème à l'ail _____ 63
Crème aux légumes _____ 61
Contrepoint pour poisson _____ 59
Jus de citron _____ 64
Le turbot _____ **69**
Quatre parfums pour sauce blanche _____ 64
Raifort à la crème _____ 62
Sauce à l'aigre-doux _____ 65
    à la bisque de homard _____ 59
    à la ciboulette _____ 67
    au beurre et à la bière _____ 68
    au fromage _____ 66
    au poivron rouge _____ 68
    aux baies roses _____ 65
    aux crevettes _____ 67
    aux œufs de lump _____ 68
    aux pickles _____ 61
    aux pommes _____ 60
    blanche à la crème _____ 64
    hollandaise _____ 63
    indienne _____ 60
    rémoulade _____ 63
    safran _____ 67
    tartare _____ 60
    tomate aux olives _____ 65
    verte _____ 61
    verte au fromage blanc _____ 62

Sole au vin blanc _____ 66

Herbes et épices _____ **70**

LES FRUITS DE MER ET LES CRUSTACÉS

Beurre au basilic _____ 74
Coulis oriental _____ 75
Sauce Diabolo _____ 73
Fricassée de crabe sauce à l'aneth _____ 76
Huîtres chaudes aux poireaux _____ 76
Le homard _____ **77**
Sauce à l'ail pour crevettes roses _____ 74
    à l'aneth et à la ciboulette _____ 72
    aux noix _____ 75
    gourmet aux fruits de mer _____ 76
    italienne au vin blanc _____ 75
    crustacés légère _____ 72
    mexicaine aux crevettes roses _____ 74
    Rhode Island _____ 73
    safran au paprika _____ 72
    tomate épicée _____ 73

LES PÂTES

Coulis aux petits pois _____ 80
Escargots sauce aux herbes _____ 88
Pasta marinara _____ 88
Pâtes fraîches _____ **89**
Salsa pizzaiola _____ 84
Salsa pomodoro _____ 86
Sauce aillée aux champignons _____ 87
    à la viande et au fromage _____ 84
    à la viande _____ 82
    au bleu _____ 82
    au céleri _____ 83
    au fenouil _____ 79
    au fromage blanc _____ 81
    au jambon _____ 81
    au jambon et aux olives _____ 87
    au poulet et à l'orange _____ 85
    au saumon _____ 85
    au saumon et à l'avocat _____ 79
    aux carottes et aux noix _____ 87
    aux girolles _____ 88
    aux légumes _____ 80
    aux olives _____ 85
    aux panais et petits pois _____ 86
    bacon au poivre _____ 84
    froide au thon _____ 86
    crevette à l'aneth _____ 81
    ligurienne _____ 83
    pique-nique _____ 80
    rose aux langoustines _____ 83
    safran aux moules _____ 88
    tomate _____ 79
    tomate aillée _____ 82

LES DESSERTS

Coulis de fraises _____ 91
Coulis de framboises _____ 91
Crème à l'arak _____ 97
    à la vanille _____ 96
    au citron _____ 97
    au Cointreau _____ 92
    au ginbembre _____ 93
    aux amandes _____ 93
Crème fouettée _____ 92
Quatre parfums pour crème fouettée _____ 92
Délice chocolat _____ 94
Fromage blanc aux amandes _____ 91
La vanille _____ **99**
Sabayon _____ 98
Sauce à la cannelle _____ 98
    à l'orange _____ 93
    au whisky _____ 96
    aux noix _____ 95
    caramel au beurre _____ 95
    caramel chaude _____ 94
    chaude au chocolat et à la menthe _____ 96
    crémeuse au cacao _____ 95
    doux rêves _____ 97
    Madame _____ 98
    rapide au chocolat _____ 94